KB103757

기억에 남는
한국 영화 50선(2).

차례

머리말

후기

머리말

1988년 서울 올림픽이 개최되었다.

"손에 손잡고 벽을 넘어서"

살벌한 전두환 군사 독재 시대였다. 돌이켜 생각해 보면, 사춘기 중학생에게 군사 정권이 펼친 3S 정책은 큰 혜택이었다. 일명 스포츠(sports), 스크린(screen), 섹스(sex)는 사춘기 중학생에게는 더 할 나위 없는 호기심 천국을 불러 일으켰다. 정치적인 논란을 뒤로 하고 오직 개인적인 취미 성향으로 하는 말이다. 당시 영화를 좋아했던 까까머리 중학생은 한국 에로 영화에 눈을 안 돌릴 수가 없었다.<산딸기>(1987), <애마부인>(1982), <뽕>(1985) 시리즈가 모두 그때 나왔다. 사춘기 중학생 눈으로는 본 그 영화들은 지금 포로노 야동보다 더 충격적이고 흥분시켰지만 사실 뭐 보이는 것이라고는 비에 젖은 실루엣과 젖가슴 정도였다.

남녀 정사 관계 장면에선 꼭 장작불이 불타오르고, 맑은 하늘이 갑자기 먹구름이 몰려와 비가 내리고 그러면서 화면 전환이 되어 오직 당신의 상상력에

맡겼으니 말이다.

사실 <에로영화>를 먼저 적극적으로 좋아한 것이 아니라, <록키>와 <람보> <로보캅> <탑건> <영웅본색>을 보러 갔다가 2편 동시 상영을 하는 바람에 어쩔 수 없이 보게 된 것이다. 주머니 사정이 넉넉지 않던 가난했던 중, 고등학교 시절 단돈 500원에 대형 스크린으로 동시에 두 편 영화를 본다는 것이 지금 돌이켜 보면 축복이고 행운이었다.

영화 <친구>에서 잠시 나온 부산 범일동에 위치했던 <보림극장> <삼성극장> <삼일극장>이 그런 무대였다. 당시 각 가정마다 비디오 플레이어가 보급되기 시작했지만, 영화는 역시 극장에서 큰 화면으로 봐야 영화 좀 봤다고 자랑하던 당시였다. 물론 매주 토요일 저녁이면 MBC <주말의 영화>를 보고, 일요일이면 KBS <명화 극장>을 꼭 챙겨 보고, 명절이면 <특선영화>를 시간대별로 메모하면서 밤잠 설치며 봤던 사춘기 시절 나로서는 이유를 알 수 없는 영화에 대한 호기심과 열정이 존재했었다.

세월이 흐르고 흘러 이제 어느덧 중년의 나이가 되었다. 나도 나이 들었지만, 그 시절 배우들도 모두 얼굴에 주름살이 하나둘 늘고 심지어 고인(故人)이 되었다. 거울을 보면서 스크린을 보면서도 나와 영화 주인공들이 함께 늙어간다는 사실이 안타까울 지경이다.

그러다가 문득 그동안 내가 본 영화들 중에서 혼자서 남긴 메모를 정리하고 싶은 마음이 생겼다. 내가 본 것도 기억이 가물해지고, 주인공, 감독 이름이 헷갈리기 시작하는 시기가 된 것이다. 더 늦기 전에 한국 영화 100편 정도는 소장하고 싶다. 종이책으로 말이다. 일상생활에서 나를 아는 주위사람들이 그렇게 영화를 좋아하는데, 인생 영화가 무엇인지 물어왔을 때 단 한 편을 추천하기가 사실상 불가능하다. 과거 1980년대 추억 깃든 영화가 인생 영화 일 수도 있고, 오늘 상영하는 최신 영화가 그럴 수도 있다. 그래서 난 대부분 상대방의 취향에 맞춰 추천을 한다. 가령 연령이 조금 있으신 분들에게는 <시네마 천국>(1988)이나 <인생은 아름다워>(1998) 같은 누가 추천해도 명작인 영화들인 영화를 말하기도 한다. 젊은 여성에게는 오히려 추천 영화를 말하기가 더 어렵다. <슬럼덩크>(2022)를 좋아할 수도 있고, <기생충>(2019)을 좋아할 수도 있으니 말이다. 젊은 남성들은 <탑건>(2022)으로 충분하지 않을까? 물론 모두 좋은 명작이고 누군가에게는 인생 영화들이다.

감동적인 영화라고 무조건 추천할 수도 없다. 이래저래 감동 눈물을 한없이 많이 흘리는 나로서는 애

니메이션을 봐도 가슴 저린 진심의 뜨거운 눈물을 흘리니까 말이다. 가령 <토이 스토리4>를 보고, '우디''버즈'등 장난감들과 헤어져 안타까워하는 주인공과 함께 초등학생 모르게 슬쩍 눈물을 훔친다.

하여튼 이 책은 내가 보고 기록한 많는 영화 메모중에서 <한국 영화 100편>을 모았다. 그동안에도 영화들이 계속 상영되고 또 감동받고 해서 더 늘어날 지경이었지만, 일단 현재까지 본 영화와 배우 중심으로 생각했다.

이 책을 통해 배우들의 명대사를 자신도 모르게 적재적소(適材適所)에 슬쩍 내 뱉을 때, 대화 기술과 인간관계의 윤활유가 될 터이니, 한 줄 대사쯤은 암기해도 좋을 듯 싶기도 하다.

혹시나 이 책을 읽는 분들 중 영화를 좋아하신다면 이 정도 한국 영화는 꼭 봐주어야 아니 이미 봤어야지 어디에서도 영화 좀 봤다는 시네필 맘으로 빵구를 낄 수 있지 않을까? ㅎㅎㅎ

51. 비열한 거리

"너는 내 편 맞지?"

유하 감독 거리 시리즈 중 2번째 작품이다. 1편
<말죽거리 잔혹사>(2004)는 누가 뭐래도 몸짱 배
우 '권상우'를 각인시켰고 이소룡의 상징인 쌍절곤
결투의 기억이 선명한 영화였다. 영화 <비열한 거
리>는 젊은 수컷들의 백수 양아치 깡패 세계를 다룬다.

같은 해 개봉한 비슷한 계열인 <우아한 세계>(2007)는 중년 가장 강인구(송강호)의 현실적인 직장인 삶을 담은 조직 세계를 보여줘서 제목과는 달리 전혀 '우아'하지 않았다면, 영화<비열한 거리>는 조직폭력에서 말단에 있는 양아치 세계를 다룬다. 당연히 그 세계는 비열한 놈들이 넘친다.

영화 첫 장면부터 시작이 고금리 사채를 받기 위해 무작정 아파트 단지 한 가운데 주차장에서 고성방가를 하면서 창피를 준다. 채무자 아파트 거실에 난입해 자녀들 보는 앞에서 웃통을 벗겨 제치고 진상 짓을 하는 쓰레기 양아치 패거리 두목이 비열한 병두(조인성)이고 그가 주인공이다.

<비열한 거리>에서 마치 성형전 외모로 오해받을 것 같은 병두 친구로 민호(남궁민)가 등장한다. 그는 흥행 영화감독이 되고자 병두의 조폭 뒷 이야기를 스크린으로 옮겼는데, 밝혀서는 안 될 치부를 적나라하게 노출하여 영화는 흥행 성공했지만, 병두는 조직에서 버림받게 된다. 비열한 놈들끼리 사는 세계는 피도 눈물도 없는 거리다.

곽경택 감독이 영화 <친구>(1999)는 실제 본인 친구 이야기를 담았다고 했는데, <비열한 거리> 줄거리가 대강 그러하다.

일본 베스트셀러 작가인 '무라카미 하루키'는 직업 소설가를 대해서 3가지로 분류한 기억이 난다. 자신의 이야기를 쓰는 소설가, 취재로 쓰는 소설가, 상상의 이야기를 쓰는 소설가가 있고 그 중에서도 최고는 상상의 이야기를 맘껏 소재로 삼는 소설가가 제일 부럽다고 했다. 가령 SF 우주를 말하는 소설가 말이다. 상상의 소재는 그야말로 무궁무진할 것이다. 그에 반해 2022년 노벨 문학상을 받은 프랑스인 '아니 에르노' 작가는 모든 소설이 자전적인 이야기로 채워져 있다. '세월' '한여자' '한남자' '단순한 열정' 같은 소설들은 자신과 어머니, 아버지의 이야기다. 이야기는 살아있고 재밌고 몰입감이 뛰어나지만 이것이 과연 소설일까 싶다. 공지영 작가 <도가니> 같은 사회 고발 소설이 취재 소설이다. 사회적으로 화제된 사건을 취재하고 자료를 찾아 소설로 구성한 것이다.

'하루키'가 부러워한 상상 이야기를 펼치는 소설가는 나도 심하게 부럽다. 그것은 일명 글쓰기 재능일 것이다. 재능 없는 자의 한없는 설움이다. '하루키' 자신은 첫 번째로 분류했다. 경험한 것이 아니면, 쓰기 힘들다고 고백했다. 하지만 그도 <언더 그라운드> 같은 일본 지하철 가스 테러를 다룬 취재 소설도 있기는 하다. 세계적으로 가장 인기 있는 소설가 중 한 명인 '헤밍웨이'도 '아니 에르노'처럼 대부분 자전적인 소설이다. <노인과 바다>는 읽자마자 자신의 낚시 경험담임을 바로 알 수 있다. <무기여 잘 있거라>는 스페인 내전 참전 경험담이다. 참 '에르노'가 '헤밍웨이' 처럼이겠지. ㅎㅎ 영화 제목 <비열한 거리>처럼 병두에게는 오른팔 종수(진구)가 비열했고, 친구 민호가 비열하다. 어쩌면 자신도 비열한 놈이다. 모두가 예고된 비극적인 결말일지도 모른다. 사람들은 아마 자신도 모르는 사이에 비열한 행동을 했을지도 모른다. 스스로 인식하고 한 행동에는 대가를 치러야 할 것이다. 유하 감독은 <말죽거리 잔혹사>에서 1960년대의 학창 시절을 다루었다면, <비열한 거리>에선 길거리 깡패 이야기를 다루었다. <말죽거리 잔혹사>에서 옥상으로 뒤따라가면서 우식(이정진)의 뒤통수를 쌍절곤으로 현수(권상우)가 가격하는 비겁한 장면을 연출했다. 그는 기본적으로 <인간 본성에 비겁함>이 당연한 듯이 표현하는 것 같다.

그래도 영화<넘버3>에 비하면 <비열한 거리>는 아마추어 양아치 수준이다. 병두와 조필(송강호)이 비교가 가능할까? 직접 <넘버3>를 보시고 직접 비교해보시라. 누가 더 양아치 중의 양아치스러운지를.

"누가 넘버3 래. 넘버 투 야."

-넘버 3 中 태주(한석규)

\#비열한 거리 \#권상우 \#남궁민 \#이보영 \#2006년 유하 감독

52. 넘버3

"헝그리 정신..H U N 옛날에는 말이야. 다 다 라면만
먹고도 참피언 먹었어. 현정화도 그랬잖아."

-조필(송강호)

"임춘애 입니다 형님."

-조필 똘마니

무시무시한 킬러 조직폭력단이 되고자 하는 불사
(不死)파 두목 조필(송강호)은 무려 조직원 3명을
거느리고 있다. ㅋㅋㅋ 동네 뒷산에 올라 '나는
자연인이다.'보다 못한 생식과 생 야생 각목으로

극기 훈련을 하는 중이다. 그래도 꼴에 두목인 조필은 따로 밥상에 흰 쌀밥을 먹지만, 똘마니들은 뱀, 토끼를 직접 잡아먹고 맹훈련을 시킨다. 사실 무슨 의미가?

"나가 있어."

-조필(송강호)

1990년대의 한국 개봉 영화관 분위기는 어땠을까? 영화 <넘버3>(1997)가 등장하기 전까지 개봉관 극장은 홍콩영화 전성기였다. 오우삼 감독 <영웅본색>(1986)에서 시작된 홍콩영화 황금기는 '이연결'의 <황비홍>(1991), 유덕화의 <천장지구>(1990), 장국영의 <첨밀밀>(1997) 등으로 이어져 지금도 기억되는 전설 같은 영화들이 모두 이때 상영되었고 홍콩영화의 최고 전성기였다.
2003년 만우절 진실로 거짓말같이 하늘나라로 사라져 버린 '장국영'을 평생 그리워하는 홍콩영화 사생팬들은 아직도 그가 살아있다고 믿는다.
내 인생 영화 중 손에 꼽히는 <패왕별희>(1993)속 '장국영'은 아직도 주인공 '두지'가 아닌 '초희'로 손끝을 하늘로 뻗은 채 영원히 내 맘속에 살아있다.

다시 한번 더 강조하지만, 1990년대 개봉관에서 영화를 한 편을 본다는 것은 당연하게 '홍콩 영화' 아니면 '헐리우드 영화'였다. 록키 시리즈, 람보 시리즈, 인디애나 존슨 시리즈, 로보캅 시리즈가 대세고 주류였던 시대다.

하지만, 드디어 한국 영화의 기념비적인 작품이 나타났다. 그 영화가 바로 영화 <넘버3>다. 이후 2년 뒤 <쉬리>(1997)가 한국형 블록버스터를 표방하기 전에 미리 <넘버3>가 물꼬를 텄다. 드디어 티켓 가격이 아깝지 않은 한국 영화를 만나게 된 것이었다.

당시에 영화 한 편 볼라치면, 주말에 긴 줄을 서서 자신이 어느 좌석에 앉을지도 모를 개봉관 매표소 동그란 여관 계산대 입구 구멍에서 표을 구매해야 했다. 그마저 영화 시간에 맞춰 구매를 못하면, 몇 시간이고 다시 기다리기 위해 개봉관 부근을 배회해야 했던 당시였다.

"사랑이란 것은 99% 믿는거야. 난 널 51% 믿어.
  임마 그래도 49%는 넘잖아."

-태주(한석규)

한석규의 믿음직한 목소리는 양아치역이지만, 왠지 신뢰가 간다. 3류 건달 태주는 조직 내에서 무식한 일명 '재떨이'(박상면)와 경쟁 관계다. 검사로 나온 열혈 사나이 '마동팔'(최민식)은 범죄조직을 반드시 끝까지 일망타진(一網打盡) 소탕하고 싶어 한다. 지금은 고인(故人)이 된 배우 '박광정'은 양아치 시인 랭보 역이다. 이 모든 인간 군상들이 넘버원이 되기를 꿈꾸면서 세상을 살아간다.

영화<넘버3>는 배우 '송강호'에게 레전드 명대사를 각인 시켜주었고 강렬한 이미지로 어필했다. 마치 실제 깡패가 아닌가 말이다. 배우 '박상면'은 '무식하면 용감하다'의 표본처럼 한동안 본인 이름보다 배역인 '재떨이'로 명성을 날리게 된 계기가 된 영화이기도 하다.

"세상에 넘버1이 어딨냐. 다 넘버3 삼류 인생들이야."

조직을 배신하고 애인과 평범한 일상으로 돌아가는 '태주'가 택시에서 한 말이다. 그래, 세상에 넘버1 보다 스트레스 없이 넘버3로 사는 것이 행복한 삶이다. 태주는 그제서야 깨달았나보다.

난 진작에 <넘버3>로 오래전부터 살고 있는 중이다. 직장에서나 가정에서도 말이다. ㅎㅎㅎ

송능한 감독은 이 영화 이후에 특별한 영화로 기억이 되지 않는다. 최고 레전드 영화를 만들고 차

기작이 왜 없을까?

영화<넘버3>는 조폭 코미디의 원조 격이다. 맛집도 원조가 최고인 만큼 <넘버3> 원조만큼 뛰어난 조폭 코미디 영화를 보지 못했다. 만약 아직 이 영화를 접하지 못한 분들은 얼릉 보시길 절대 후회하지 않을 것이다. 지금 돌이켜보면 그야말로 초호화 캐스팅이었다.

배우 '최민식'은 MBC 주말드라마 <서울의 달>(1994)에서 '한석규' 친구역으로 순진한 시골 남자로 출연해 큰 인기를 얻기 시작했다.

백수 양아치 건달이지만, 마음만은 순진한 농촌 남자를 연기한 '최민식'의 <파이란>을 만나보자. 한동안 잔상으로 기억될 것이다.

"세상은 날 삼류라 부르지만, 이 여자는 날 사랑한다."
-파이란 中

#넘버3 #한석규 #최민식 #박광정 #이미연 #1997년 송능한 감독

53. 파이란

"어린 노무새끼가 어르신이 주무시는데, 겁대가리
도 없이. 너 나 알아 몰라. 알아 몰라."

-강재(최민식)

영화 <파이란>에서 강재(최민식)은 삼류 건달 양
아치다. 당시 삼류 건달이 주인공인 영화가 넘쳐

나서 식상했다. <넘버3> < 비열한 거리> < 우아
한 세계> 등이 그렇다.

삼류 건달을 바둑 등급으로 친다면, 강재는 아마
추어 중의 아마추어 18급. 심지어 초보 양아치라
기보다 동네 한 명쯤 있을 법한 성격 더러운 백수
건달 형님으로 생각하면 되겠다. 입에서는 담배와
콜라에 썩은 똥 구린내가 풍기고 옷은 세월의 흔
적을 고스란히 간직한 노숙자풍의 패션이다.

아무에게서도 인정을 못 받는 그는 동네 100원짜
리 오락실에서 시비를 거는 정말 상상도 하기 싫
은 양아치다. 오락실 동전을 갈취하는 리얼한 생
활 양아치 연기를 최민식 아니면, 누가 이렇게 리
얼하게 연기를 할 수 있을까 싶다. (송강호? 류승
범 정도?)

파이란(장백지)은 중국에서 천리타향 한국으로 유
일한 친척인 이모를 만나러 왔지만, 이미 그들은
어떤 메모도 없이 캐나다로 이민을 떠나버렸고 한
국에는 아무도 남기지 않았다. 이제 그녀에게는
낯설고 험한 한국이란 나라에서 오로지 혼자서 살
고 견뎌야 한다. 브로커를 통해 위장 결혼을 통하
면 중국으로 강제 출국 되지 않고, 한국에서 취업
해서 살 수 있다고 유혹한다. 그녀는 할 수 없이
그렇게 하기로 한다. 그 불법 위장결혼 상대방 신
랑 측이 바로 '강재'다.

이제 그녀는 어떤 삶을 살게 될 것인가? 얼굴도 한번 못 본 사이와 위장 결혼 신고만을 한 신랑을 사랑할 수가 있을까? 영화적인 설정이라서 그런가 보다 하지만, 얼마나 한국이란 나라에서 고독하고 외로우면 죽는 순간까지 손바닥 만한 액자 안에 남편 '강재'를 보면서 매일 그리워한다.

언뜻 이해되지는 않는다. 아니다 이해될 것도 같다. 영화 <파이란>은 일본 작가 '아사다 지로(Asada Jiro浅田次郎, 1951~)'의 '러브레터'를 원작으로 한다. 아마도 일본과 한국 사회적인 환경이 그리 큰 차이가 없음이라 전혀 국가 간 이질감은 느낄 수 없다.

영화를 보면서 든 생각은 만약 양아치 '강재'의 본 모습을 알게 된 후라도, 파이란(장백지)이 저렇게 한 번이라도 보고 싶어 하고, 그를 그리워하면서 산다는 것이 가능할까 라는 생각이 들었다. 우린 때로

'모르는 것이 약이다.'
'무소식이 희소식이다.'

내가 상상하는 사랑하는 그와 현실의 그는 많이 다를 수도 있다. 우리는 소위 어릴 적 헤어진 '첫사랑'을 평생 그리워하면서 살지만, 막상 '첫사랑'

을 만나보면 기억하는 상상 속의 첫사랑 그와 많이 다른 현실을 마주할지도 모른다.

척박한 한국 사회에서 외톨이인 그녀는 삶이 힘겹고 어려울 때마다 액자 속의 사랑하는 신랑의 사진이 더 큰 위로가 되었지만, 사실 강재(최민식)은 그런 대상이 될만한 위인과 거리가 먼 사람이다. 주인공 '파이란'을 안타깝게 보는 이유다.

만약 둘이 만나고 같이 살았다면, <파이란>이란 영화는 큰 감동과 울림을 지금껏 주지는 못했을 것이다.

우연히 계획 없이도 만나 인연이 되는 사람이 있는가 하면, 만나기 위해 헤매고 헤매었지만, 결국 만나지 못하고 스쳐 지나가는 인연도 있다. 다행인지 불행인지 '파이란'과 '강재'가 그렇다. 한 번쯤 직접 만나 인사할 기회는 파이란이 강재가 일한다는 비디오방에 직접 찾아갔을 때였다. 그를 대면할 순간에 때마침 그는 불법 포르노 비디오 유통 혐의로 경찰에 붙잡혀가고 만다. 결국 '강재'와 '파이란'의 운명적인 만남이 이루어지지 못하는 비극적인 순간이었다.

역사에서 만약이란 가정은 없는 거지만, 내가 '파이란'의 부모라면 그 양아치 강재 자식의 뒤통수를 온 힘을 다해 한 대 때리고 싶은 감정이다. "저런 쓰레기 같은 자식을 좋아하다니." 하면서 말이다.

결국 지병으로 인해 하늘나라로 가고만 '파이란' 장례식장에서 그녀의 진심이 담긴 손 편지를 읽게 된 '강재'는 이제서야 '파이란'을 진심으로 생각해 보게 된다. 하지만 강재를 보는 사람들은 그의 진심을 믿지 못한다. 왜 갑자기 진심 어린 행동을 하는지.... 동 사무소에서 사망 신고가 순식간에 10분도 채 못되어 마무리되는 것을 보면서 강재는 분노하고, 서류상 부부라고 비웃는 사람에게 주먹질을 한다.

강재는 이때 어떤 마음일까? 결국 3류 생 양아치에게도 파이란의 진심은 통하나 보다. '파이란'의 편지 한 통에 가슴 깊은 눈물을 먼 바다를 보면서 흘린다. 파이란이 액자 속의 강재를 보면서 결핵으로 죽어간 것과 같이 강재는 파이란이 노래를 부르는 비디오를 보는데 양아치 조직에서 배신당해 결국 부하들에 의해 죽음을 당하고 만다.

송해성 감독은 원작이 있는 작가의 소설을 영화화 많이 하는 듯 하다. <우리들의 행복한 시간>(2006)은 공지영 소설 원작이고, <고령화 가족>(2013)은 천명관 소설이 원작이다.

영화 <파이란>은 2001년 작품이지만, '최민식'의

리즈시절 이라고 하기에는 2001년의 그때 외모와 지금 외모가 많이 변한 것 같지 않다. 20여 년 전에는 동네 건달 양아치였지만, 세월이 많이 흘렀다. 이제 대형 폭력 조직을 상대하는 경찰로 성장한 영화 <신세계>를 보면서 '최민식'의 고급진 연기를 감상해보자.

"너 나하고 일 하나 하자."

-신세계 中 강과장(최민식)

#파이란 #최민식 #장백지 #2001년 강해성 감독

54. 신세계

"거 죽기 딱 좋은 날씨네."

-이중구(박성웅)

영화 <신세계>는 대한 민국 '언더커버 범죄 느와르' 영화의 전설이 되었다. 하지만, 보는 내내 이렇게 어디선가 낯익은 장면을 본 듯한 데자뷰 장면인 듯 너무 닮은 영화를 어디서 봤나 싶었다.
그 영화는 바로 양조위, 유덕화 주연의 <무간도>

(2003)시리즈이다.

"너 영화 신세계 봤어? "
"내용이 어때."
"응 그거 홍콩영화 <무간도> 봤지? "
"내용 기억 나? ..딱 그거야."

폭력 조직에 위장 침입하여 신임을 얻은 경찰.너무 대놓고 똑같은 설정 아닌가? 이런 영화를 '언더커버류 범죄물 영화'라고 한다.
영화 <신세계>에서는 이정재, 최민식, 박성웅, 황정민이 주인공이다. 오랜 세월 동안 폭력 조직에 잠입해서 온갖 심부름을 해 오던 차에 이제는 아예 이자성(이정재)을 골드문의 후계자가 되도록 경찰 강과장(최민식)은 <신세계 작전>을 세워 실행에 옮기려고 한다.
신분 세탁을 수십 년 동안 하고 신임을 얻었지만, 영화를 보는 내내 경찰 신분이 노출되지 않을까 관객들은 조마조마하다. 조직 배신자는 말 한마디에도 목숨을 잃게 되는 상황에서 이자성의 거짓된 삶은 그 자신을 불안하게 한다.

"죽을 때 죽더라도 담배 한 대 괜찮잖아."

조직에서 밀려난 이중구(박성웅)가 너무도 맑고 푸른 하늘을 보면서 이자성 부하들에게 목숨을 잃어야 하는 상황에서 한 대사는 지금도 여러 TV 프로그램에서 최근엔 예능프로 <SNL코리아>에도 풍자되었다.

과연 이자성은 무사히 골드 문 조직의 후계자가 될 수 있을까? 장청(황정민)은 파마머리와 함께 구수한 전라도 사투리를 구사한다.

"헤이 부라더'"

둘의 케미는 영화를 보는 내내 웃음을 동반한 찐 우정에 또한 사나이 의리에 눈시울이 붉어지기도 한다.

"드루와 드루와"

엘리베이터 안에서 칼부림 장면으로 명장면을 남기고 그는 목숨이 위태할 정도로 큰 상처를 입고 병원에 입원한 '장청'은 마치 언더커버의 존재를 알고 있는 듯이 의문점을 남긴 채 영화는 마무리된다.

"이제 그만 선택해라."

영화 <무간도>를 보면서 정체가 노출될까 두근 거리는 마음으로 한순간의 눈깜빡임도 없이 지켜보아야 하는 순간들은 <신세계>에서도 똑같다.

강과장(최민식)과 접선하는 장면에서는 보는 사람이 더 맘 졸인다.

넷플릭스 드라마 <수리남>(2023)을 보면서 미드 <프리즌 브레이크><무간도>와 <신세계>가 떠 올랐다. <수리남>을 언더커버 물이라고 할 수가 있나? 홍콩영화 <무간도>를 재미있게 보았다면, <무간도>의 한국판 <신세계>도 너무 재미있게 볼 것이다. 비교하면서 말이다. 만약 홍콩영화 <무간도>를 아직 안 보셨다면 이미 3편까지 제작되었으니 얼릉 시간 투자를 해보시길. 충분히 감동적이고 재미가 있다.

박훈정 감독은 이후 <낙원의 밤>(2021), <브이 아이 피>(2017),<마녀>(2018) 등을 볼 때, 강한 폭력이 동반된 영화를 즐겨하나 보다. <신세계>는 3부작으로 제작될 예정이라고 했는데, 언제 2부가 나올는지. 명장면 명대사가 넘치는 1편을 넘지 못할까 부담감에 그런가. 심지어 영화 <마녀>(2018)가 먼저 2편(2021)이 개봉되었다.

영화 <신세계>를 재미있게 보았다면, 또 한편의

언더커버 범죄영화이면서 설경구, 임시완의 남성 브로맨스가 빛나는 <불한당>(2016)을 추천한다. 지금까지 본 언더커버와 전혀 다른 스토리를 전개하는 맛이 있다.

"손가락으로 밖에 성희롱 못 하시나?"

-불한당 中 천인숙(전혜진)

#신세계 #최민식 #황정민 #이정재 #박성웅
#2013년 박훈정 감독

55. 불한당

"형 나 경찰이야."

-현수(임시완)

잉 뭐지? 영화 <신세계>가 <무간도>를 흉내 냈다
고 한다면, 영화<불한당>에서는 언더커버가 자신
의 정체를 스스로 드러낸다. 경찰도 알고, 폭력
조직도 그의 정체를 모두 알고 있는 상황.

"사람을 믿지 말라. 상황을 믿어라."

-재호(설경구)

마약 조직을 소탕 할려는 경찰과 교도소에서 그를 내 편으로 만든 조직 간의 설경구(한재호)와 임시완(현수)의 로맨스가 생겨난다. 이건 상 남자간의 브로맨스 영화 같기도 하다. 병갑(김희원)이 진실을 외친다.

"너 눈에 뭐 씌였다."

재호는 이미 현수를 믿는다. 믿는 정도를 넘어선 정도다. 현수는 오직 어머니의 신장 수술을 위해 경찰에서 교도소로 잠입 비밀 업무를 실행하지만, 경찰에서도 배신당하고 조직에서도 진실에 마주하고 실망한다. 언더커버 영화는 어쩌면 이제 낯익은 구조다. 영화 <아저씨>에서 강한 악역으로 출연했던 김희원과 김성오가 회 먹는 장면은 두고두고 기억에 남는다.

영화<불한당>의 부제는 '나쁜 놈들의 전성시대'다. 사실 누가 나쁜지 영화를 보는 내내 판단이 불가하다. 경찰이 나쁜가 조폭이 나쁜가. 또 '이경영'은 역시 회장으로 나온다. 역할이 너무 딱이다.

"진행 시켜"

현수는 교도소에서 뺨 때리기 대회를 통해 존재감을 알린다. 이 장면을 보면서 세상에 저런 시합이 있을까 싶었는데, 최근 유튜브를 보면 실제 '뺨 때리기 대회' 있다. 교도소에서 시작된 대회인가 싶기도 하다.

영화가 영화로만 볼 것이 아니고, 마치 기업이 파는 물건들이 아니고 오너 리스크로 인해 흥행에 실패한다면 그건 누구의 책임인가? 변성현 감독이 정치적인 발언을 하는 바람에 최소한 50%의 관객은 손해 본 것이 아닌가? 연예인들의 정치적인 발언이 위험한 이유다. 소위 좌파적인 발언을 하는 순간 우파 팬을 잃을 것이고, 반대로 우파 발언을 하면, 좌파 팬을 잃을 것이기에.

남자들의 브로맨스(Bromance) 시작은 아마도 <태양은 없다>가 아닐까? 청담동 부부로 거듭난 이정재, 정우성의 브로맨스 시작을 영화로 보자.

"야 너 나 못 믿어?"

-태양은 없다 中 홍기(이정재)

#불한당 #설경구 #임시완 #전혜진 #2016년 변성현 감독

56. 태양은 없다.

"주민등록증 까. 누가 형인가 보자."

-도철(정우성)

"진짜 까..진짜 깐다고.."

-홍기(이정재)

1999년도 상영된 전설 같은 레전드 청춘 반항 영
화. 순박한 도철(정우성)과 날라리 홍기(이정재)는
사채업을 하는 사무실에 취업해 미수금을 받아오
는 건달 비스무리한 생활을 한다. 권투 선수가 꿈

인 도철과 타고난 사기꾼인 홍기는 어쩌면 미래가 불확실한 25살 젊은 청춘들이다. 영화에 등장하는 두 사람의 브로맨스도 그렇지만, 영화보다 OST '러브 포션 넘버9(Love Potion No. 9,더 클로버즈)'이 더 유명하기도 하다. 단발머리 사채업자 이범수도 강렬한 인상을 남긴다.

영화 <아비정전>(1990)에서 '장국영'(1956-2003)이 거울 앞에서 맘보춤을 춘 것처럼 '이정재'의 속옷 맘보 댄스를 볼 수 있다.

이 생각 없는 청춘들의 미래는 과연 어떻게 될까? SBS 드라마 <모래시계>(1995)에서 고현정 보디가드 '백재희'역으로 세상에 나와 단숨에 스타가 된 '이정재'는 <비트>(1997), <태양은 없다>로 본격적인 대한민국 최고 배우 중 한 명이 된다.

"널 만나고 제대로 풀린 일이 아무것도 없어, 새끼야."

이것도 명대사인가? 과거 낙엽을 던지는 CF에 등장해서, 많이들 기억하는 대사가 바로 <태양은 없다>에서 사용되었다. 도철이 홍기에게 외친 유명한 대사다. 술 취하면, 한 번씩 친구들에게 소리치기 좋은 대사다. 진심인데, 영화 대사로 알아들어서 더 좋다. ㅎㅎㅎ

도철이 그렇게 꿈꾸었던 권투 선수로 드디어 링에 올라 시합에 나섰지만, 과연 그는 시합에서 승리를 거둘 것인가? 사랑하는 미미(고소영)는 영화배우로 성공할 것인가? 홍기의 방황은 언제 끝날 것인가?

방황하는 청춘들이 그 시대와 사회에 어울려 속절없이 흘러가는 시간들이 우리의 인생이다. 1990년대 말이 그랬다. 그래도 그때는 철학적인 고민을 많이 했던 시대다. 아마도 밀레니엄이 다가오는 세기말적인 상황이 그런 환경을 만들었지 않나 싶다.

김성수 감독은 <비트>(1997)와 <태양은 없다>(1999)로 모든 재능을 다 소모한 것이 아닌가? 이후 <감기>(2013), <아수라>(2016)를 감독했지만, 과거만큼 큰 흥행을 못 하고 임팩트도 못 주는 듯 하다. 이 영화에서 멋진 콤비 얼굴 천재로 등장한 '이정재''정우성'은 그 이후 대한민국의 미남 배우 계보를 이었다. 특히 이정재는 등장 장면만으로 극장안에서 관객들에게 감탄을 불러일으키기도 했다. 영화 <관상>에서 '세조'의 등장 순간은 와 최고였다. 아마 이 두 명의 배우를 뛰어넘을 비주얼을 가진 배우는 '강동원' 정도 아닐까? 강동원도 역시 영화 <1987>에서 남다른 등장 비주얼은 여성관객들의 감탄을 불렀다.

그렇다면 그의 매력이 가장 잘 표현된 영화<전우치>를 보면서 조선시대 천방지축 '도사'와 함께 놀아보자.

"전우치? 니가 그 망나니 전우치"

-전우치 中

#태양은 없다. #정우성 #이정재 #1999년 김성수 감독

57. 전우치

"도사라면 바람을 가르고, 마른하늘에 비를 내리고, 땅을 접어 달리고..."

영화 <외계+인>이 나오는 고려시대 무륵(류준열)도 도사역이다. 같은 감독이다. 위 대사는 영화 <전우치>에서 주인공 전우치(강동원)가 한 대사다. <외계+인>에도 배우 '강동원'이 무륵도사역으로 출연했으면, 어땠을까 하는 아쉬움을 달래본다.

아마도 흥행에도 큰 도움이 되었을 텐데.

영화 <전우치>는 한순간도 눈을 떼지 못하는 코믹 장면들과 요술로 인한 변신의 연속이다. 컴퓨터 CG가 이만큼 발전했는지 자부심이 느껴질 정도다. 상상 속의 도사도 아마도 이런 행동을 했음직하다. 마술과는 다른 도사의 도술. 조선시대 고전 중에서 도사 같은 활동인 '동에 번쩍 서에 번쩍' 이야기는 <홍길동전>과 <전우치전>이 있는데, 그 <전우치>를 영화화 한 것이다.

물론 <홍길동>과 <전우치>는 천지 차이다. 허균 작가의 <홍길동>은 대의명분(大義名分)이 있는 정의를 실천했으며, 백성들의 존경을 받았다면, <전우치>는 개인적이고 이기적인 천방지축 도사다.

조선시대 도술을 부리는 '도사'가 액자 속에 수백 년 갇혀있다가 처음 보는 자동차가 다니는 현대 사회로 '뿅'하고 오면 도사는 어떤 반응을 보일까?

<반지의 제왕>(2001)의 '절대 반지'처럼 <전우치>에선 '피리 만파식적(萬波息笛)'을 훔치려는 '요괴'를 물리쳐야 한다. 어리숙한 신선들의 실력만으로 '피리'를 갈취 할려는 무시무시한 요괴들의 공격의 막을 수도 잡을 수도 없다. 그리하여 현대 사회에서 인간으로 변장하여 남몰래 살고 있었던 '신선들'은 요괴를 잡기 위해 <전우치>를

500년 동안 갇혀있던 그림 액자 속에서 불러낸다.
자! 이제 <전우치>는 '요괴'를 물리칠 수 있을 것
인가?
최동훈 감독은 <도둑들>(2012)로 천만 감독으로
인정받았다. <전우치>는 '도사'다. 실제 했던 인물
은 아닐 것이다. 만약 전설로 전해오는 인물이 있
다면 그는 분명 <외계인>이었을지도 모를 일이다.
영화 <외계+인>을 보면서 상상해보는 재미가 있
다. 김우빈, 류준열, 소지섭, 김태리...등등 넘치는
배우들을 볼 수 있다.

"아주 오래전부터 외계인은 그들의 죄수를 인간의
몸에 가두어 왔다."

                                    -외계+인 中

#전우치 #강동원 #김윤석 #백윤식 #2009년 최동훈
감독

58. 외계+인

"비상사태 위험에 대비하라."

원탑 주인공을 내세운 영화가 만약 흥행 실패한다면 주인공 배우도 참패한 책임감을 회피하기 힘들다. 가령 <마약왕>(2017)에서는 국민 대세 배우 '송강호'를 주연으로 했지만, 흥행 실패했고 관객들로부터 철저히 외면받고 말았다. 아무리 국민배우 '송강호'라도 아닌 것은 아닌 것이다. 당연한 이치다.

이에 최근 경향은 주인공들을 다수로 출연시킨다. 책임 소재를 분산시킨다는 말이다. 물론 영화 <도둑들>(2012)이 그렇게 크게 성공했다. 물론 스토리도 훌륭하지만, 김혜수, 이정재, 김윤석, 전지현, 김수현이 동반 출연했던 묘미도 분명 존재한다.

영화<비상선언>도 한자리에서 보기 힘든 송강호, 이병헌, 전도연, 김남길이 동반 출연했지만 흥행은 별로.

영화 <외계+인>이 개봉했다. 이 영화는 도사 영화 <전우치>와 마블 히어로 영화를 뭉텅 거려 놓은 잡탕 오락 영화다. CG 장면만으로도 한국 영화의 큰 발전으로 보인다.

심형래 감독의 <디 워>(2007)에서의 조잡한 그래픽기술과 비교해보면 월등한 발전이다. 마치 <트랜스포머> 헐리우드 CG 기술을 보는 듯하다.

언론에서는 거액이 투자된 영화 <외계+인>의 흥행 실패로 손익분기점 관객 수를 걱정했지만, 개인적으로 긴 러닝타임에도 불구하고 재미있었다. 평론가들은 맛없는 짬뽕, 지루한 러닝머신, 안 비벼진 비빔밥 등으로 비난하고 저 평점을 부여했지만, 난 잔잔한 웃음이 한순간도 끝나지 않는 개그 콘서트를 보는 것 같았다.

물론 고려시대 배경으로 도술을 부리는 '도사'가 나올 바에야 같은 감독 영화인 <전우치> '강동원'이 나왔으면, 어땠을까 하는 진한 아쉬움이 있을 뿐이다.

한국 영화에서 CG 기술은 이제 세계적인 수준이

다. 상상할 수 있는 스토리가 모두 구현 가능하다. 표현 못 할 것이 없다. 단지 상상력과 창조력이 가미된 시나리오가 부족할 뿐이다. 한국 사회 주입식 교육 문제점이 여실히 드러난다. 아 그놈의 상상력, 창조력.

전편의 흥행 실패에도 불구하고, 이 영화는 이미 2부작으로 제작되었다고 한다. (우짤까나) 소소한 재미는 긴 러닝타임(142분) 내내 이어지지만, 도대체 영화가 무슨 내용을 말하는지 얼른 알아채기가 힘들다. 먼 내용이야? 마지막 장면까지 가보면 앗무륵 도사 '류준열'이 결국 빌런이었나? 하지만, 2편을 보면, 그것도 아니다. 문도석(소지섭)이 그 멋진 비주얼이 아깝게도 어색하게 죽음을 맞이하고, 이안(김태리)은 어린 꼬마 여자아이가 그렇게 똑똑하고 싸움도 잘하는지, 자장(김의성)은 늘 악당으로 나와 이미지가 식상하기까지 하고, 흑설(염정아)와 청운(조우진)의 콤비 코믹 연기는 오래된 개그 같기도 하고, 가드(김우빈)는 그냥 말만 많은 역으로, 이 영화에 대해서 토론을 하자면 할 말이 많아지는 영화다. 아니다. 어쩌면 할 말이 없는 영화이기도 하다.

사실 영화광으로서 돈 아까운 영화는 '킬링타임용' 영화다. '시간은 금'인데, 왜 타임(Time)을 킬링(Killing)해야 하나? 내 돈을 내면서 내 시간을 죽일 수는 없다. 도무지 있을 수 없는 일이다.

<외계+인>은 분명 '킬링타임용'이다. 시간이 남아서 영화를 보는 사람도 있지만, 그 와중에 재미와 감동을 동시에 받고자 하는 관객도 있다. 어쩌면 두 마리 토끼가 있어도 극장으로 발길을 돌리기에 어려운 한국 영화 현실이다. 재미와 감동을 바란 게 너무 큰 희망사항인가. 200만을 겨우 넘긴 관객이라니 내가 왜 걱정이 되기도 한다. 그래도 <외계+인> 2편을 빨리 보고 싶다. 왜냐면 나는 재미있으니깐 말이다. <킬링타임용> 영화를 극도로 싫어하지만, 이 정도 재미 수준의 <킬링타임>은 충분히 봐줄 만하다. 물론 개인적 취향으로.

최동훈 감독은 <도둑들>(2012), <전우치>(2009), <타짜>(2006), <암살>(2015) 등 최고의 흥행 감독이다. 물론 <외계+인>도 재밌다. 넷플릭스로 이동해선 전 세계 1위를 한참 동안 한 것이 증거다. 사실 한국 영화에서 유독 관객 수가 적고 흥행이 어려운 것은 SF 류의 영화다. 재미가 없는 것이 아니라, 어디선가 본 것 같은 데자 뷰 장면들의 연속이 되어 그렇다. 넷플릭스 개봉작 SF<정이>(2023)도 어디선가 본 것 같은 장면들이 가득하다. <더 문>(2023)도 마찬가지다.

실제 외계 생명체를 다룬 영화<외계+인> 것처럼 제목에서부터 유혹하는 영화 <지구를 지켜라>를 보자. 상상도 못 한 결말이 당신을 기다릴 것이다. 독립 영화 같은 독립 영화 같지 않은 최고의 숨겨진 보석 영화다.

"네 정체를 말해. 빨리."

-지구를 지켜라 中 (병구)

#외계+인 #류준열 #김우빈 #김태리 #2022년 최동훈 감독

59. 지구를 지켜라.

"니들 왜 이래. 여기 어디야."

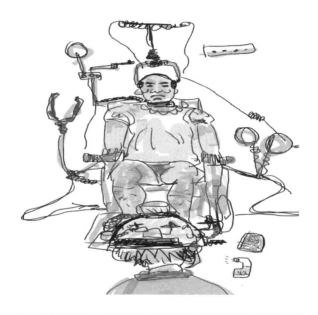

과대망상증(誇大妄想症) 환자인 병구(신하균)은 지구를 구하기 위해 홀로 애쓴다. 지금까지 분명 외계인으로 보이는 12명을 살해했지만, 사실 모두 지구인이었다. 하지만 절대 포기할 수는 없다.

병구는 분명 외계인으로 보이는 거대 기업 유제화학 사장 강만식(백윤식)을 발견했다. 그를 납치했다. 의자에 묶어놓고 고통스러운 고문을 통해 안드로메다 왕자와 교신할 것을 석방조건으로 요구하는 중이다.

"그래 언제까지 거짓말을 할 것인지 견뎌보라면, 보라지."

물파스로 발등 껍질이 벗겨질 정도로 문지른다. '아 따가워.' 보는 사람도 이상하게 더 고통스럽다. 아는 고통이라서 더 괴롭다. 과연 이토록 잔인한 고문을 즐기는 주인공 병구는 외계인의 침략으로부터 지구를 구할 것인가?

신의 연기력을 소유한 대배우들 '백윤식', '신하균'이 열연을 펼쳤지만 얼토당토 한 어이없는 시나리오 전개와 황당 상황에 그도 관객들도 많이 당황했다. 하지만, 백윤식은 이 영화로 2003년 대종상, 청룡영화상, 대한민국 영화 대상, 부천국제판타스틱영화제 등 총 4개 시상식에서 남우조연상을 수상했다. 연기만큼은 정말 최고다.

이 영화에 무명 초보 연기자들이 출연했다면, 아마도 독립영화계에서 전설로 남았을 독보적인 기념비적 영화가 되었을 듯싶다. 독특한 시나리오 덕분인지는 몰라도 평론가들로부터 극찬을 받았지만, 2000년 당시 관객들의 선택은 봉준호 감독

<살인의 추억>이었다. 나도 당시 <살인의 추억>을 대전 EXPO 자동차 극장에서 가족과 함께 관람했지만 <지구를 지켜라>는 개봉을 듣도 보도 못했다. 이런 것을 마케팅 실패인가?

영화를 정의하자면 '외계인 출연 블랙 난장판 코미디'라도 하고 싶다. 정신이상자들이 할 법한 행동들에 의미를 부여했다. 앗 이건 뭐지? 혹시 <12몽키즈>(1995)에서 '브루스 윌리스'가 생각난다. 그래도 그는 실제 미래에서 왔다. 비교하기 부끄럽지만. 이 영화도 결국 그가 외계인이었다. 병구가 옳았다는 대반전 설정이 어이없는 놀람으로 다가왔다.

왜 평론가들은 이 영화를 극찬했는가? 반전도 반전 나름이지 극적인 반전을 주면 감동받아야 하는가? 작품성이 높다고 인식해야 하는 것인가?

물론 깜놀 할 만한 장면들이 등장하기도 한다. 첫 장면부터 발등을 이태리타월로 문질러 물파스를 바르는 장면도 허접하지만, 공감은 가지고 이상한 장면이다.

키우는 개 이름이 '지구'라서 지구를 구하기인가 싶기도 하다. 아니 살해한 인육을 개밥으로 준다고? 개집에서 사람 무릎뼈를 발견하다니? 왜 청소년관람불가인지 야한 상상을 한 나로서는 큰 반전이다. 그래도 이 영화를 추천하는 이유는 상상력 증강에 최고의 한국 영화라고 자부한다.

'신하균'과 '백윤식'의 연기는 과연 대배우구나?
하는 감탄을 자아내게 하고, 남들이 모르는 한국
식 공포 SF영화를 봐야 할 영화적으로 이야기 거
리가 풍부해지지 않을까 싶다.

아마도 이 영화 이후 '문소리' 배우의 남편 '장준
환' 감독은 한동안 슬럼프에 빠졌거나 제작사로부
터 투자받기가 힘들었을 것이다. 그래도 재능있는
감독은 어찌 되었든 성공하게 되어 있다. 세월이
흐른 후에 제작한 영화 <화이>(2013),
<1987>(2017)로 드디어 흥행 감독으로 이름을 알
리게 되었으니 말이다.

'백윤식'의 카리스마는 <타짜>에서 '평경장'으로
크게 존재감을 부각하지만, 그 전에 <싸움의 기
술>에서도 싸움의 고수인 '판수'로 등장하여 '피똥
싼다'의 명대사를 남겼다.

"좆나게 예쁘게 생겼네. 앞으로 친하게 지내자."
                                    -싸움의 기술 中

#지구를 지켜라 #신하균 #백윤식 #2003년 장준환
감독

60. 싸움의 기술

"너 그러다 피 똥 싸고 기저귀 찬다."

-판수(백윤식)

최근 정모, 이모 기득권층의 장관 청문회가 열리기도 전에 자녀들의 학폭 논란에 지켜보는 국민감정은 극도로 피곤하다. 가해자는 평생 꼬리표를 달고 다녀야 하며, 피해자도 더 한 고통 속에서 살아간다. 넷플릭스 드라마 <더 글로리>가 화제가 된 건 우연이 아니다. 학창 시절 왕따와 학폭이 사회 문제화되어 잊을 만하면 사회면에 화제가 되어 경각심을 불러일으킨다.

영화<싸움의 기술>에서 친구 아들 같은 병태(재희)는 고등학교에서 왕따에다 빵셔틀도 당하는 찌질 이다. 그에 반해 빠코(홍승진)은 학교 일진 대가리로 그를 괴롭히는 게 재미있어하는 놈이다. 고시원에서 홀로 생활하던 병태는 어느 날 사우나에서 지금껏 보지 못했던 최고의 싸움 고수를 만나게 되는데 그는 같은 고시원에 사는 바로 오판수(백윤식)다.

영화 <싸움의 기술>에서 오판수는 김용 작가의 무협지<영웅문>에 등장하는 무림 고수처럼 '왕따 구하기' '하수 구하기'로의 절대 영웅 사부로 여겨진다. 오판수는 간절하게 매달리는 병태에게 싸움의 기술을 전파해 주기로 결심하고, 빨래를 하면서, 동전을 던지면서, 우유를 훔쳐 먹도록 하면서 능력치를 향상 시킨다. 일상의 생활 속에서 감춰져 있는 숨겨진 능력치를 전수해 준다. 그래 모든 것들은 일상 속에 있다.

"싸움에 반칙은 없다."
"맞아본 놈이 때릴 줄도 안다."

멕시코 바다 썬 배드에 누워 백사장을 걷는 쭉쭉
빵빵 금발미녀를 처다보며 한가로이 즐기는 환타
지 휴양을 늘 꿈꾸는 '오판수'다. 나도 그렇고 당
신도 그렇다. 남성들의 꿈같은 퇴직 후의 상상이
고 희망 사항이다. 아닌가 나만 그런가!!! 나도 하
와이 해변에 누워 무한 리필 알콜 음료수를 마시
면서 현실도피를 꼭 하고 싶다. 영화<내부자들>에
도 명대사가 나오지 않는가?

"모히또 가서 몰디브 한잔 하지"

오판수는 병태에게 모든 싸움 기술을 전파해 준
뒤에 국제공항으로 유유히 떠난다. 이제 모든 기
술을 익힌 병태는 스스로 결정해야 할 것이고,
왕따 찌질이로부터 독립하고 해방될 수 있을 것인
가? 인생은 결국 '각자도생(各自圖生)' 혼자 해결
해야 한다. 비록 아버지가 경찰이지만, 도움을 받
고 싶지 않다. 내 문제는 스스로 극복해야 한다.
아마도 인생이 그런 게 아닐까? 누군가로부터
'팁'을 받을 수는 있지만, 결국 그것을 실행하느냐
마느냐는 스스로 판단해야 한다.

<지렁이도 밟으면 꿈틀거린다>
<궁지에 몰린 쥐는 고양이도 문다.>

어쩌면 당연한 세상 이치다. 주먹으로 흥한 자는 반드시 주먹으로 망할 것이다. 영화에 비해 너무 거창한 교훈 같지만, 내가 보기에 그렇다. 학창 시절 좀 모자라고 어리숙한 친구를 잘 보살피는 것도 자신의 능력치를 높이는 것이다. 사회는 그렇게 어울려 살아가는 것을 깨닫는 것이다.

신한솔 감독은 <내 안의 그놈>(2018)을 최근에 연출했다. 기본적으로 재미와 감동을 주기 위해 노력하는 감독으로 보인다.

같은 주먹질이라도 슬픔을 한가득 안은 주먹이 있다. 배우 최민식, 류승범 주연 <주먹이 운다>를 보면, 애환이 가득한 분노의 주먹질 복싱 시합을 볼 수 있다. 물론 같은 주먹질이라도 '미키 루크'의 <더 레슬러> 같은 애증이 동반된 스포츠 영화도 있다. 이런 명작들이 곳곳에 숨어있다.

"후회는 곱씹을수록 쓰고
  희망은 곱십을수록 달라."

-주먹이 운다 中

#싸움의 기술 #재희 #백윤식 #2005년 신한솔 감독

61. 주먹이 운다.

"너 그러다. 진짜 죽어."

영화 <주먹이 운다>에서는 두 명의 남성이 주인공
이다. 한 명은 강태식(최민식)이고 또 한 명은 유
상환(류승범)이다. 강태식은 세상의 온갖 풍파를
다 겪은 사업실패자로 나온다. 2005년 배경으로
IMF 고난의 행군에서 몇 년 지난 영화지만, 현재

코로나 시국의 힘든 삶이 그때와 맞닿아 있다. 왕년에 권투 선수였지만, 이제는 한물간 늙은이 취급받을 뿐이지만, 맷집만큼은 자신 있기에 길거리에서 분풀이 맞는 댓가로 만원씩 겨우 돈을 벌고 있다. 집에서 아들과 아내에게 버림받고 이혼에 이르게 된 상황이다. 이제 마지막 불꽃을 태우고 싶다.

유상환(류승범)은 생 양아치로 살다가 쌍방폭행의 댓가로 합의금마저 없는 형편에 놓인다. 미래가 없는 인생을 사는 우울한 인생이다. 인생 역전이 필요한 순간이다.

'하루 벌어 하루 먹고 사는 인생'

류승범의 연기는 정말 양아치 연기의 끝판왕이다. 영화를 보다가 뜬금없이 놀라게 되는 장면이 가끔은 있는데, <주먹이 운다>에서도 그렇다. 유상환 아버지역의 '기주봉'이 공사판에서 사고로 죽는 장면이 그렇다. 맘 약한 분들은 조심하시길. 이 둘은 이제 막다른 골목에서 처절한 눈물을 흘리고 싶은 심정이다. 이 영화를 보는 내내 눈시울이 울긋불긋할지도 모른다.

가장이 가정의 울타리가 되어 주어야 하지만, 누가 누구 잘못인지 모를 형편에 시간이 지날수록

어려워지고 가난해지는 까닭은 마치 톨스토이 소설에 나오는 '안나 카레니라의 법칙'인

'행복한 가정은 모두 비슷한 이유로 행복하지만, 불행한 가정은 저마다 다른 이유로 불행하다.'

를 잘 보여주는 영화 같다. 이제 이 두 사람이 운명적으로 절벽 앞에서 선 신인왕전 권투 시합장에서 결승전 상대로 만나게 된다. 관객들은 누구를 응원해야 하는지? 누가 이겨야 하는가? 결승전 시합 응원을 하기 위해 그래도 두 가정에서 모두 나와 서로를 응원해 준다. 아들이 응원하고, 할머니가 응원한다. 아무리 힘들어도 곁에는 가족이 있다. 누가 승자가 되어야 하는가?

류승완 감독은 이제 독보적인 위치에 올랐다. 그 이름을 모르는 관객은 없다. 배우 '류승범'은 그의 동생이다. 이 영화를 찍기 위해 양아치역을 해줄 배우를 구하는 중에 집에 뒹굴고 있던 동생을 보고는 바로 '네가 딱이다.'라고 외쳤다고 한다. 영화 <주먹이 운다>를 연기를 바로 당시 19세라고는 믿기 어려울 정도 비주얼이다. 최민식은 아직 배가 나오기 전의 날씬하다면 날씬한 당시 그래도 보기 좋은 체형이다. 권투 선수라는 배역이라서

그런가. 지금은 고인(故人)이 된 변희봉 선생님의
권투 코치 장면을 볼 수 있다.

'너는 할 수 없어'라는
사람들의 말을 무시할 수 있다면
당신은 뭐든지 이룰 수 있다.
                          -전 헤비급 챔피언 조지 포먼

너무 우울한 영화만 보는 것은 정서에 좋지 않다.
주먹 이야기가 나온 김에 코믹한 영화 <시동>을
보자. 주먹은 이렇게 사용하는 게 아닐까?

"만원으로 갈 수 있는데, 아무거나 한 장 주세요."

                                        -시동 中

#주먹이 운다. # 최민식 #류승범 # 2005년 류승완
감독

62. 시동

"엄마도 하고 싶은 일을 해."

-택일

청소년 가출 영화 중 최고 리얼한 영화는 <박화영>(2018)이다. 도무지 영화를 끝까지 못 볼 지경이다. 불량 학생이 나오고, 불량 부모가 나오고 불량 선생이 나온다. 도저히 그냥 살기 힘든 세상이다. 그에 비하면, 가출 영화이지만, 영화 <시동>은 코믹스런 가족영화다. 엄마(염정아)에게 택일(박정민)은 반항심 가득한 청소년이다. 공부도 학교도 집도 싫어서 단돈 <만원>으로 갈 수 있는 서울 버스터미널에서 가장 먼 군산 터미널로 가출을 감행했다.

'니미럴 엄마가 하고 싶은 게 없어서 안 하냐?'

택일은 숙식을 제공해 주는 중국 집 배달을 하면서 젊은 시절의 시동을 준비한다. 택일 친구인 상필(정해인)은 할머니와 함께 살고, 사채업 일을 한다. 중국집에는 포스가 남다른 주방장인 거석이형(마동석)이 있다. 중국집 식구들은 서로 얽히고 설킨 이야기를 이끌어 가면서 가족의 소중함을 일깨워준다.

'소중한 건 니가 지켜, 새끼야'

　　　　　　　　　　　　　　　　　-거석이형

중국 요리 주방장 마동석과 조폭 조직 두목 마동석은 둘 다 잘 너무 어울리는 배역이다. 그동안 전국구 조폭으로 살아왔지만, 진정 자기가 하고 싶은 것은 중국집 주방장이었다.

꿈을 이루었지만, 사회가 그를 그냥 내버려 두지 않는다. 가출 소년 택일은 가족을 잘 지킬 수 있을까? 거석이형은 조직 생활에서 벗어나 하고 싶은 꿈을 이룰 수 있을까?

조금산 작가 웹툰 '시동'을 원작으로 하기에 영화로 감동 받았다면, 웹툰을 보고 서로 비교 해보는 재미가 있다. 어떤 작품이 더 나은지 갑론 을박 해보자. 하지만, 그냥 영화는 영화대로 즐기면 그

뿐이다. 아무리 봐도 가출청소년을 다룬 영화 중에서는 가장 밝은 톤을 가졌다. 마동석을 보는 순간 왠지 마동석이 다 해결해 줄 것 같다.

웹툰을 원작으로 해서 그런지 주인공들은 소년이고 어른이고 모두 가출했다. 만화이기에 가능한 상상력이다.

영화 <태양은 없다>가 생각나는 정해인이지만, 이 정재처럼 생 양아치는 아니다. 두 사람의 직업이 같다는 말이다. 택일은 가출집단에서 생활하지만, '거석이형'이란 믿음직한 존재가 그들을 품어주었기 때문에 관객들도 믿음이 있다. 불량 학생이 불량할 때마다 틈틈이 마동석 정의의 주먹에 응징당한다. 죄가 깊을수록 한 방에 맞고 오랫동안 깨어나지 못하기도 한다.

사회에서 소외 계층을 다루는데, 영화 <1번가의 기적>(2007)처럼 <시동>도 코믹한 요소가 가득하기에 가족의 소중함만을 일깨우기 위해 억지로 잔인하거나 폭력적인 장면을 인위적으로 만들지 않는다. 그래서 좋다. 설날 가족영화로 딱이다. 영화 <시동>은 보면서 가볍게 볼 수 있는 코미디 영화이면서, 믿음직한 액션을 보여주는 마동석표 영화다.

1970년대는 영자의 전성시대였지만,
2020년대는 마동석의 전성시대다.

멀리 바다 건너 헐리우드 마블까지 점령했다.

아무 생각 없이 치맥과 더불어 보는 킬링타임용 팝콘 영화로 추천한다. <범죄도시>와 같은 잔인한 장면을 못 보는 마동석 팬에게 추천드린다.

최정연 감독은 <글로리 데이>(2015)란 영화를 이전에 연출했지만, 큰 흥행은 못 얻었고, 알지 못한다. 영화 <시동>은 웹툰 원작이라서 감독 재능을 말하기엔 부족하다.

주먹 액션과 함께 한 코미디 영화가 <시동>이라면, 킬러(Killer) 액션을 선보이는 배우 '유해진'이 주연한 영화<럭키>가 있다. 망각의 킬러가 주는 묘한 코미디 영화다. 역시 팝콘과 더불어 보자. 재밌다.

"혹시 내가 누군가요?"

-럭키 中

#시동 #박정민 #정해인 #마동석 #염정아#2019년 최정연 감독

63. 럭키

"통 기억이 나질 않습니다. 혹시 저를 아십니까?"

영화 <시동>은 마동석 배우가 중국집 주방장으로
위장 취업해서 중화요리 음식을 열심히 만들었지
만, 영화 <럭키>에서는 기억을 잃은 형욱(유해진)
이 분식집에서 김밥을 예술의 경지로 커팅하면서

부근 여학생 손님들에게 스타가 되었다.

성공률 100% 킬러 형욱은 목욕탕에서 비누를 밟고 크게 미끄러져 뇌진탕으로 기억을 잃었다. 그때 마침 같이 사우나 하던 재성(이준)은 원래 주인에게 열쇠를 돌려주려 했으나, 주인이 기억을 잃은 것을 알고는 그냥 돈 많은 놈 같기에 그대로 슬쩍 사물함 열쇠를 주머니에 넣고 만다. 이제 재성(이준)은 어떤 삶을 살게 될까? 형욱의 아파트에서 cctv로 보이는 이웃이면서 살해 위협에 놓인 은주(임지연)를 구할 수 있을까?

기억을 잃은 소재는 많은 영화에서 시도된 장르이다. 가장 기억나는 영화는 물론 제목마저 지우개인 <내 머릿속의 지우개>(2004)이지만, 그것은 치매를 소재로 한 것이고, 단기 기억상실증 최고의 영화는 '크리스토퍼 놀란' 감독 <메멘토>(2000)가 아닐까? 하여튼 기억을 잃는 자는 늘 잃은 상태에서 현실에 적응해야 한다. 그 현실이 더 나은지 어떤지는 모르지만 말이다.

영화 <럭키>에서 형욱은 킬러의 본능을 모른 체 분식집에서 일하고 단역 배우로 열연하면서 어쨌든 잘 산다.

하지만, 우연한 기회에 어찌저찌 기억을 찾게 되는데, 이제 기억을 찾은 후에 형욱은 더 잘살게 될까? 기억은 찾은 것이 잘한 일일까? 이제 재성과 힘을 합쳐 살해 위협에 놓인 은주를 구할 수 있을까?

철학자 프로이드는 인간이 행복할 수 있는 이유는 '망각(忘却)'이라고 했다. 모든 순간을 다 기억한다는 것도 행복하지만은 않다. 행복하지 않은 일들은 빨리 잊어버리는 것도 자신을 위해서 인간의 진화론적 승리일 것이다. 강제 망각도 영화 <럭키>에서 형욱에게는 좋은 일인지도 모른다. 킬러라는 직업을 잊고 평범한 서민 일상의 삶 속으로 젖어 들었는데, 사실 그가 살인 킬러였다면 그도 기억을 되찾은 것을 후회할 지도 모른다. 왜 내가 살인 기계였지? 평생 깨어나지 말지 말이다.

이 영화는 2012년 우치다 켄지 감독의 <열쇠 도둑의 방법>을 리메이크 한 영화이다. 일본에서는 겨우 관객 40만 명을 동원하여 폭망 했다고 하는데, 우리는 거의 700만 명을 동원해 크게 흥행했다.

이계벽 감독의 이름은 잘 몰라도 최근 넷플릭스 영화 <새콤달콤>을 본 기억이 있지 않은가? 바로 그 감독이다. 아마도 코미디를 잘 만드는 감독이란 것이 <힘을 내요 미스터 리>(2018)를 연출한 감독이다.

어쩌면 첫 주연배우로 데뷔한 '유해진'의 원맨쇼

덕분이 아닌가 싶다. 외모로는 도저히 주인공이
되지 못할 듯한데, 그는 오직 연기로만 성공한 배
우다. 고창석도 그런가? 유해진의 일상 연기인지
실제인지 모를 <완벽한 타인>을 보자. 탁자 위에
올려 둔 스마트폰이 얼마나 불안한 것인지 완전
공감이 될 것이다.

"사람들은 누구나 세 개의 삶을 산다
 공적인 하나.
 개인적인 하나..
 그리고, 비밀의 하나..."

                        - 완벽한 타인 자막 中

#럭키 #유해진 #이준 #임지연 #2015년 이계벽
감독

64. 완벽한 타인

"저녁 식사하는 동안 모든 문자와 통화를 공개하자."

오래전 일이었다. 명절에 처가댁 식구들과 저녁 식사하는 자리였다. 그날이 분명 토요일 저녁으로 기억한다. 부산 유명한 횟집에서 즐거운 식사를 하는 도중에 아무런 의구심 없이 식탁 위에 올려둔 스마트폰에 진동 알람이 울렸다.

"징 징 지이잉"

"로또 당첨 알림."

큰 진동 소리에 처가댁 식구들과 나는 모두 스마트폰 알림창에 뜬 문자에 동시에 눈길이 갔고, '로또 당첨 알림'이란 글씨를 보는 순간 눈동자가 커지는 느낌을 받았다. 짧은 시간에 나의 심장 떨림소리가 10m 밖에서도 들릴 지경이다.

'아 설마 1등 당첨인가? 당첨금은 나누어야 하는 것인가? 아 왜 식탁 위에 스마트폰을 올려 두었지..'

잠금을 해제하고 글을 읽어야 했다.

"형부 로또 당첨됐나 봐?"

숨 막히는 정적이 순간 흘렀다.

"당첨 내역이 없습니다."

근데 왜 다행이고 안심이 되는 건지 내 심신이 가라앉기 시작했다.

'아 18. 휴..다행이다. '

영화 <완벽한 타인> 주인공들은 20년 지기 부랄 친구다. 우린 오래된 친한 친구는 모든 것을 다 서로 안다고 생각한다. 우린 <완벽한 지인>이다. 어쩌면 세상에 상대방을 다 안다는 것이 가능한 것인가? 아무리 친한 사이라도 상대방을 속속들이 다 안다고 단정할 수 없다.

<완벽한 타인>의 4커플은 식사 시간 동안 걸려오는 모든 스마트폰 문자와 통화를 공유하기로 한다.

누구는 사기당했다.

누구는 게이다.

누구는 밤마다 야한 사진을 받는다.

누구는 아내 몰래 다른 여자를 만난다.

누구는 오해한다.

알고 보니 모두 서로에게 비밀을 간직하고 있었다. 짧은 시간 동안 굳이 몰라도 되는 일을 다 알게 된다. 이제 평화롭던 친구와의 우정, 가정의 평화가 서서히 금이 간다. 돌이킬 수 없는 일들이 점점 크게 일어난다.

이 영화는 이탈리아 영화를 리메이크했고, 전 세계에서 가장 많이 리메이크된 영화라고 한다. 사람 사는 곳은 다 똑같다는 것을 인정하는 것이 아닐까? 아무리 친한 사람도 서로 마음을 알 수는 없다. 부부 사이도 모를 마음이다. 텔레파시가 통한다는 것은 우연의 일치 아닐까? 절대 지인의 마음을 다 안다고 큰소리치는 불상사를 지르지 말기를. 그래서 제목이 <완벽한 타인>이다.
20년 지기 부랄 친구가 <완벽한 타인>이었던 것이다.

세상 모든 사람은 사실 <완벽한 타인>이다.
서로 존중하면서 살자.

이재규 감독은 <역린>(2014)를 연출했다.
가부장적인 캐릭터로 나오는 유해진은 애드리브인지 대사인지 분간도 안 되는 신들린 연기를 한다.

존재감이 넘치면서, 존재감이 없는 듯한 배우 '유해진'이 무려 25년 만에 <왕> 배역을 맡은 <올빼미>를 보자. 류준열의 50% 눈먼 연기와 인조로 분한 유해진과 연기 대결은 대단한 긴장감을 선사한다.

"앞으로 저를 도와 전하에게 침을 놓을
 천봉사입니다."

-올빼미 中

#완벽한 타인 #유해진 #윤경호 #이서진 #조진웅
#2014년 이재규 감독

65. 올빼미

"내가 못 보는 것을 더 좋아합니다."

못 보는 것인지? 안보는 것인지? 안 볼려고 하는 것인지? 우린 진실 앞에서 각자 입장에 따라서 판단한다. 물론 진실은 단 하나임에도 말이다.
"이 새끼들 ..바이든은 어떡하나?"
국민들은 모두 '바이든'으로 듣고 어떻게 한 나라의 대통령이 저런 비속어를 우리의 동맹국인 미국 대통령을 향해 막말했나 스스로 두 귀를 의심했다. 사람들은 검사 출신이라서 이 새끼 저 새끼가 그냥 아무렇지도 않게 나온다고 이해하라고들 했다. 하지만, 대통령실과 여당은 '바이든'으로 들리지 않는다고 했다. 심지어 '날리면'이라고 했다. '바이든'이라고 방송한 많은 방송국 중에 MBC만 편파방송이라고 매도하고, 유럽 순방 가는 대통령 전용기에 탑승하지 못하게 했다. 국민이 지켜봐도 내 갈 길 가는 그는 대단하다. 지금 이런 나라에 우리가 살고 있다. 500년 전 조선시대가 아니다. 왜 광해군을 몰아내고, 임금이 되었는지 알 수 없는 왕인 인조의 시대다.

눈이 멀어야 한다.
귀를 막아야 한다.
살아남기 위해서는 말이다.

지금 눈이 안 보이고 귀가 안 들리는 체하는 놈들이 한가득하다. 2022년 10월 대한민국 서울특별시 용산구 이태원동 도심 한가운데에서 축제를 즐기던 청춘남녀 150여 명이 어이없이 죽었다. 아무도 책임을 지지 않고, 서로 네 탓이라고 손가락질이다. 길거리에서 싸움 박 주먹질을 하면, 그것이 상대방 얼굴에 닿은 손가락 책임인가?

인간이라는 동물은 두뇌가 있다. 누군가가 명령을 하고 지시를 해야 한다. 즉 두뇌가 지시하면, 손이 따를 것이다. 정부 기관도 마찬가지다. 장관이 책임이고, 국무총리가 책임 일진데, 인근 현장 경찰과 소방관 책임으로 지적한다. 심지어 좁은 골목 때문이라고 하기까지 한다.

삼풍백화점이 무너졌을 때, 국무총리가 사임했다. 전 김영삼 대통령은 '우째 이런 일이'하면서 모든 책임자를 문책했다. 평소에 관리 감독을 잘하는 것이 책임자의 일이다. 일련의 사태를 보면서, 다시 권력 부역자들이 진실을 외면한다. 보이지만, 못 본 채 못 들은 채 지나간다.

영화 <올빼미>는 오래전에 100번도 더 수정된 시나리오가 준비되었고, 촬영을 마무리했을 터지만, 현 시국과 너무 잘 맞아떨어진다. 마치 미래를 예견한 듯이.

영화 <올빼미>는 인조(류해진)의 욕망에 기대어 자신의 권력을 유지하려는 자와 오직 진실한 실체만 쫓는 천경수(류준열)과의 갈등이다. 다행히 영화는 주맹증(晝盲症) 주인공이 해피엔딩으로 마무리되어 진실을 알 수 없는 역사를 표현했지만, 조선왕조실록에 적힌 몇 줄로 수백 년이 흐른 지금 그 실체, 즉 '소현세자의 죽음'을 알 수 없다.

우린 매일 매일 진실을 마주하고, 거짓을 대한다.

하지만, 안다고 모든 것을 말할 수 있지는 않다. 모른다고 모르는 척할 수 만도 없다. 모든 행동과 책임은 오직 나에게 있기에 함부로 무언가를 할 수 없다. 알고 보니 '어의'로서 궁에 입궐한 가장 큰 이유가 뛰어난 의술이 아닌, 오직 <올빼미>의 눈을 가진 까닭이다. 평소에 권력을 좇는 자들은 모두 올빼미형 인간으로 변신해야

하는 게 아닐까 한다. 내 눈은 너무 밝다.

안태진 감독은 <올빼미>란 영화로 데뷔한 것인가? 배우 '유해진'은 이제야 왕으로 주인공을 맡았다. 그는 늘 감초 역할을 톡톡히 했다. '멀미가 나서 해적에서 산적이 되었다'는 말이 너무 웃긴 영화. <해적>을 추천한다.

"지금부터 이 배는 내가 접수한다."

-해적 中

#올빼미 #류준열 #유해진 #2022년 안태진 감독

66. 해적

"어디 가서라도 반드시 큰 도적이 되거라."

초반부에 '위화도 회군'(1388년) 장면이 나와서 깜
놀한 영화. 팝콘 무비 정도 가볍게 생각한 영화에
무거운 역사적인 장면으로 영화를 시작하다니 왠
지 역사적인 사실을 기반으로 풍자하는 영화인가
오해했다. 국사 교육이 부족한 현세대들은 '위화도

회군'이 무엇인지 알까 살짝 걱정도 된다.

영화 <해적>은 고려가 망하고 조선 건국 당시를 다루고 있다. 허접한 노숙자 같은 산적이 된 장사정(김남길)은 사실 위화도 회군을 반대했던 고려 병사다. 온갖 핑곗거리로 고려를 배신해야 하는 역적무리가 되느니, 차라리 같은 뜻을 가진 몇몇 무리들을 이끌고 이탈하여 산적이 되었다.

<역사는 성공한 자의 기록이다.>

영화도 주인공 중심의 기록물이다. 그래서 이성계 역이 좀 지질하기는 하다. 아무래도 주인공이 고려 난민 병사 산적이고 해적이니 그럴 것이다. 바다 해적 무리에서는 대단주 소마(이경영)과 소단주 여월(손예진)이 해적단을 이끌었지만 온갖 비리로 얼룩진 대단주 소마를 물리치고 결국 여월이 두목이 된다. 이경영은 현대물이나 과거물이나 다음과 같은 대사를 내뱉을 것 같다.

"진행 시켜"
라고 할 것만 같은 입 쪼물락거림에 긴장까지 될 지경이다.
조선 건국 명분으로 필요한 명나라에서 조심히 전해 받은 <조선 국세>를 조선으로 돌아오던 배에서 난생처음 본 거대한 물고기인 고래가 삼켜버린 바람에 한마디로 잃어버렸다. '국세'를 고래가 삼켰다는 설정이 놀랍고 참신하다.

다시 한번 말하지만, 이 영화는 정통 역사물 무비가 아닌 <캐리비안 해적>을 흉내 내고자 하는 해양 바다 액션 코미디 무비다. 가령 등에 화살을 한가득 맞고도 따갑다면서 달려 도망치는 장사정(김남길)을 보면 만화적인 상상력도 필요할 지경이다. 참 어이없지만 코미디이니 가능한 설정이다.

"제가 뱃멀미가 심해서 해적질하다가, 산으로 왔잖요"

뱃멀미를 10년 동안 하는 해적이라니, 역쉬 믿고 보는 스틸러 배우 유해진이다.

"자 가자 화포 구하러"

산에는 먹을 것이 없다. 정규직 병사에서 산적으로 전향했지만, 한 번도 배부르고 등 따신 경험이 없다. 그냥 노숙자보다 못한 산 떨거지들이다.

영화<해적>에서 결국 해적과 산적이 힘을 합쳐 목숨을 걸고(?) 고래를 잡아야 한다. 과연 그들은 한 번도 보지 못한 고래잡이에 성공할 것인가? <캐리비언 해적>을 상상했다면 그보다 더한 결과를 볼 것이고, '조니 뎁'의 분장을 상상했다면, '손예진'의 화려한 액션과 '김남길'의 허접한 허세를 볼 것이다.

그래도 <캐리비언 해적 시리즈>가 5편까지 순항 중이고, <해적>도 2편을 개봉했다. 한국 영화도 이런 시리즈물이 필요하다. 특히 상상력을 자극해 주는 가볍고 유쾌한 장면이 넘치는 온 가족 팝콘 영화는 속편을 기대하게 한다.

이석훈 감독은 <방과후 옥상>(2005),<댄싱퀸>(2012), <히말라야>(2012)를 연출했다. 코미디 분야 능력치를 보유한 뛰어난 연출가로 보인다.

현대 바다 해적선으로 한반도를 유린할 뻔했던 '장동건' '이정재' 주연의 영화가 있다. 바로 <태풍>이다. 특히 한국을 대표하는 두 멋진 남성 배우 남북 대결을 볼 수 있다.

"핵폭탄이 들었다고 한 풍선에는 아무것도 있지 않았다. 그는 단지 관심을 받고 싶을 뿐이었 다."

-태풍 中

#해적 #손예진 #김남길 #이경영 #유해진 #2014년 이석훈 감독

67. 태풍

"동생이랑 어떻게 헤어 졌음메."

"내가 꼼짝 말고 거기 있으라. 하지 않았음 메."

흔히 해적(海賊)이라 함은 영화 <캐리비언 해적> 같은 애꾸눈 선장이 존재하는 고전적인 이미지가 강하지만, 한국 영화에서 현대 해적을 다룬 단 1 편의 영화가 있다.
주인공 배역으로 씬(장동건), 강세종(이정재), 최명

주(이미연)인 바로 영화 <태풍>이다. 망한 영화는 아니지만, 크게 기억하는 사람도 많지 않다. '씬' 은 어릴 적 북한에서 남한으로 가족이 귀순할려고 했지만, 결정적인 순간 남측 거부로 어머니가 죽고, 누나와는 헤어지고 자신은 중국에서 개, 돼지보다 못한 비참한 생활을 살다가 탈출하여 동남아시아 태국 어느 바다에서 해적 두목이 된다. 씬은 배신에 대한 극도의 분노로 인해 한국에 대한 적개심으로 태풍을 이용해 핵무기로 공격할 결심을 하게 되고 이를 막을 려는 안기부 '강세종'과 대결한다는 설정이다..

같은 민족이지만 둘은 친구도 될 수 없고 적도 되기 힘든 상황에 놓인다. 안기부 요원인 '강세종'은 '씬'의 분노를 어떻게 잠재울 것이고 한반도를 핵공격 위기에서 구할 것인가?

남북한 모두 버림을 받은 '씬'이란 인물 설정을 보면서 고전 문학 중 하나인 작가 '최인훈'의 <광장>이 생각났다. <광장> 주인공 '이명준'과 '씬' 감정적으로 많이 닮았다고 느껴졌다. 혹시 곽경택 감독은 소설 <광장>을 읽고 이 영화를 구상한 것이 아닐까? 광장에 나오는 이명준도 남북한 양쪽으로 버림받고 중립국인 인도로 향하는 배에서 푸른 바다, 즉 광장으로 뛰어들어 생을 마감하고 만다. 시대의 아픔을 간직한 책이나 영화는 무겁기는 하

지만 다 보고 난 뒤에 깊은 여운이 두고두고 오래
도록 남는다. 영화 <태풍>을 문학작품에 비교하기
가 그렇지만 개인적인 생각이다.

한국 정치와 사회는 진보와 보수정권에 따라 북한
과 관계가 극과 극을 향하지만, 정치권과는 별개
로 힘든 삶을 살게 되는 것은 결국 서민들이다.
어쩌면 영화 <태풍>에서는 탈북민의 비참한 삶이
잠시 묘사되었지만, 망명에도 이르지 못하고 해외
에서 떠도는 탈북민들이 더 열악한 환경에 있을지
도 모를 일이다.

곽경택 감독은 영화 <친구> 이후로 기대감이 너무
큰 탓인지 대형 흥행은 하지 못한 것으로 알고 있
다. 하지만, 언제나 그의 팬으로서 영화를 사랑하
는 사람은 작품을 언제나 기다리고 있다는 것을
알아주셨으면 한다. 곽경택 감독 작품 중 군대 생
활을 현실적으로 묘사한 <미운 오리 새끼>(2012),
아무 생각 없이 사는 <똥개>(2003)라는 영화도 재
미있고 인상에 깊게 남았다.

영화 <태풍>에서는 북한인으로 나온 장동건이었지
만, 그가 일제 강점기 조선인 마라토너에서 노르
망디 해변에까지 이른 연합군 병사까지 된 파란만
장한 삶을 산 영화 <마이웨이>를 보면 더 감동적

으로 현대역사가 다가온다.

"소비에트 사회 연방주의 공화국을 위하여
만세 만세 만세."

-마이웨이 中

#태풍 #장동건 #이정재 #이미연 #2005년 곽경택
감독

68. 마이웨이

"제법 달리 누만. 기회란 포기하지 않는 사람에게
오는 것이오."

-마이웨이 中(손기정)

세계 2차대전 프랑스 노르망디 해변에 상륙 성공
한 연합군은 독일군 잔병을 생포하게 된다. 그런
데 독일 군복을 입은 웬 아시아인? (실화라는 증

거가 사진이 있음)

1930년 일제 강점시대 김준식(장동건), 타츠오(오다기리 조)는 마라토너 동료로 지내다가 전쟁의 화마에 휩싸여 기나긴 여정을 떠나게 된다. 강제 징집되어 목숨이 오가는 전쟁터로 끌려간 준식과 일본군 장교로 입대한 타츠오.

"황군에게 후퇴란 없다."

한반도에서 중국에서 만주에서 러시아에서 도대체 알 수 없는 장소와 이유도 잊혀질 수많은 전투와 고초를 겪게 된다. 이름 모를 한반도 징집병들이 당했을 설움이 고스란히 전해져 온다.

아직도 현재 진형형인 <일본군 위안부> 배상과 사죄 논란은 아직도 해결될 기미가 없지 않은가?

영화 <마이웨이>를 보면서 오래전 MBC 대하드라마 <여명의 눈동자>가 떠 올랐다. 아 정말 감동적이었던 최재성과 채시라의 철책 울타리 키스 씬은 전 국민을 울렸다. 일제 강점기 한국인과 일본인 간의 우정을 다룬 영화가 <마이웨이>라면 한국인 강제 징집병과 위안부의 사랑을 다룬 드라마가 <여명의 눈동자>(1991)다. 어떻게 한국인이 독일군 군복으로 노르망디 해변에서 포로로 잡혔을까? 준식(장동건)은 전투에서 패할 때마다 상대국의 포로로 잡히게 되고 포로가 된 그 국가의 군복을 입고 다시 적국과 싸우게 된다. 그리하여 중국 소련 독일군으로 전향하여 결국 연합군과 만나게 되는 이야기다. 이제 세계 2차대전을 끝났고, 여기는 유럽 한가운데 프랑스다. 김준식은 무사히 지구 반대편 고향인 부산으로 돌아올 수 있을 것인가?

영화 <마이웨이> 한국, 일본, 중국의 최고 배우가 등장하여 세계 2차대전 전쟁사에서 희생된 각국 입장을 대변하지만, 한국민 정서로 볼 때 조금 이해하기 힘들 수도 있다. 가령 소련군 탱크가 일본 부대를 새벽 기습공격하는데, 왜 한국 징집병 김준식이 목숨걸고 뛰어가 일본군을 구하는가? 같은 조선 동포인 종대(김인권)의 반일 감정을 왜 이해 못 하는가? 영화적인 설정이긴 하지만, 주인공에게 인류애를 심는 설정은 조금 무리가 아닌가?

아마도 감독은 한 중 일 세 국가에서 모두 호평을 받고자 했고, 관객들에게 평화 메시지를 전하고 싶었지만, 세 국가에서 모두 외면받을 행동이었다. 세 마리 토끼는 애당초 붙잡을 수 없다.

단지 영화 <마이웨이>가 실화를 바탕으로 했다는 사실이 더 놀라울 따름이다. 인명은 재천인가? 어떻게 아시아인이 노르망디 해변에서 연합군을 상대로 전투를 한단 말인가? 상상도 못 할 지경이다. 만약 한 장의 사진이 없었다면 이 영화의 소재를 믿지 못했을 것이다.

강제규 감독은 <은행나무침대>(1996), <쉬리>(1999), <태극기 휘날리며>(2004)로 흥행 감독이다. 특히 <쉬리>는 최고 최초의 블록버스터 영화가 아닌가? 일제 강점시대 한국인과 일본인의 우정보다, 부산 사나이들의 우정이 더 찐하다.

<장동건>의 필모그래피(filmography,영화 작품을 감독, 촬영자, 배우, 주제 등으로 분류하여 계통을 세워 편집한 목록)의 최고봉은 역시 <친구>가 아닌가.

"너거 아버지 머하시노."

-친구 中

#마이웨이 #장동건 #오다기리죠 #판빙빙 #2011 강제규 감독

69. 친구

"고마 해라. 마이 묵다 아이가"

-동수

부산사람들만 이해할 수 있었던 동수(장동건)의 마지막 대사는 지금도 누군가 꼭 밥이 아니라도 조금 오버한다 치면 무의식중에 이 대사를 읊는다. 누구든지 다 이해한다.

홍콩영화에는 <영웅본색>(1987)이 있다면, 대한민국에는 <친구>가 있다. <친구>는 2001년 관객 800만을 동원한 전설적인 영화가 되었고, 조폭 영화 중에서 이를 넘어선 한국 영화는 아직 없지 않은가?

준석(유오성), 동수(장동건), 상택(서태화), 중호(정운택) 4명의 배우는 아마도 영화 <친구> 이전과 이후로 연기 인생도 많이 바뀌었다. 유오성과 정운택은 이후에도 영화 <친구>의 이미지를 넘어서지 못하고, 조폭 영화에 출연을 많이 했지만, 이후 큰 흥행은 하지 못한 것 같다. 배우란 이미지가 팔방미인이 되어야 훌륭한 영화를 만나고, 승승장구할 것인데, 너무 한가지 이미지로 굳어져 버려 안타깝기도 한다.

유오성은 영화 <강릉>(2021)에 아직도 같은 이미지 조폭역으로 출연할 지경이다. 정운택은 <가문의 영광>(2002)에서 양아치 똘마니로 스스로 이미지를 갈아 먹었다. 결국 그는 배우의 길을 버리고, 목사가 되었다.

"내는. 내는 뭔데. 니 시다바리가?"

동수는 준석에게 처음으로 대들지만,

"죽고 싶나"

한마디에 고개 숙인다. 하지만, 양대 조직 중간

보스로 성장한 둘은 결국 한쪽 조직을 제거해야만 하는 숙명적인 상황에 놓이게 된다.

"니가 가라 하와이"

준석은 동수에게 부탁 아닌 부탁을 하지만, 동수는 거절을 한다. 실제 부산에는 오래된 폭력 조직이 있다. 바로 '칠성파'와 '21세기파'다. 지금은 사라졌다고 생각하겠지만 얼마 전 광안대교 상판에서 자동차 추격전을 벌였고, 칠성파 두목 장례식장에서 두 집단 간 똘마니 난투극 모습으로 대중 앞에 모습을 드러냈다. 어둠의 세계는 자세히는 알지 못하기에 이야기를 할 수 없지만, 아마도 그 뿌리는 준석과 동수에서 비롯된 양대 폭력 조직으로 알고 있다. 물론 어느 쪽이 <칠성파>인지 <21세기파>인지는 모른다. 설에는 '유오성'이 <칠성파> 두목 이모 씨의 모델이었다고 했다. 그 두목은 80세 나이로 지병으로 사망했다. 조폭 두목이 지병으로 죽었다는 것을 전 국민이 뉴스를 통해 보는 것도 모두 영화 <친구> 덕분이다.

영화는 감독의 개인적인 사연도 있고, 본인 친구 이야기로 알려져 있다. 마치 영화 <비열한 거리>에서 남궁민 감독의 역할처럼 조인성 친구가 소재가 된 것 같다.

곽경택 감독은 <친구>란 영화의 임팩트가 너무 커서 그 이후로 <친구>를 뛰어넘는 흥행은 못 본 것 같다. 그래도 개인적으로 영화 <똥개>를 좋아한다. <미운오리새끼>도 군대 찌질이들의 리얼한 일상을 다룬 것으로 봐도 봐도 재미있다.

부산 사투리 영화로 물론 <친구>가 손에 꼽히지만, 정말 부산 사투리가 제대로인 배우 <정우>가 연기한 <바람>(2009)을 꼭 봐야 한다. '고마해라 마이 뭇다 아이가'가 무슨 뜻인지 통역해야 알아듣는 서울 표준어를 구사하는 사람들은 부산 사투리의 교과서 격인 '바람'을 통해 진정한 부산 사투리 매력에 빠져보시고 부산말 듣기 능력치를 시험해 보길 바란다. 참 거기에 황정음 부산말 발음은 너무 어색하니 제외하시길..

"야 내가 누군지 알아. 이 자슥들이."

-바람 中

#친구 #유호성 #장동건 #2001년 곽경택 감독

70. 바람

"그라믄 안돼, 쳐 맞고 다니면 안 돼."

서면시장을 배경으로 떼거리로 몰려다니는 고딩 양아치들을 보는 것만으로도 영화 <바람>은 부산 소개를 다 했다. 서면시장에서 가장 유명한 것은 '돼지국밥' '밀면' '칼국수' '통닭' 그리고 영화 <바람>이다.

부산 사투리를 가장 잘 묘사한 영화는 무슨 영화 일까? <국제시장>(2014), <해운대>(2009), <보안관>

(2017), <범죄와의 전쟁>(2012), <대외비>(2023>, <리바운드>(2023)가 부산 배경 영화지만, <바람>은 독보적 부산 사투리와 억양을 구사하는 영화다.

"깔끔하고 시원하게 딱 한 대만 맞겠습니다."

부산 상고에 입학한 고등학생 정국(정우)의 청춘 버라이어티 성장기 영화다. 아프리카 세렝게티 초원 동물들의 약육강식(弱肉强食) 세계만 존재하는 이곳에서 순한 사슴처럼 힘없는 정신력을 가진 정국이지만, 가오만큼은 마음속 깊이 최고인 짱구(정국)다. 어떻게 살아남을 것인가? 생존의 문제다. 여자 문제다. 영주(손호준), 석찬(권재현), 주희(황정음) 배우들이 펼치는 부산 사투리의 향연과 의리, 우정, 사랑을 이야기한다.

영화 <친구>(2001)가 학교를 졸업한 후에 거대 폭력 조직 이야기를 다루었다면, 영화 <바람>은 TVN 드라마<응답하라 1994>의 쓰레기 '정우'가 자신의 실제 고등학교 시절을 모티브로 했고 중구 난방 좌충우돌 청춘 코믹 액션물이다.

사실 영화 초반부와 대강의 줄거리만 기억하는 관객이라면, 학교에서 셔클 폭력배 이야기로 매도할 것이지만, 영화 마지막까지 다 보고 나면, 부모에 대한 가슴 먹먹한 감동이 밀려온다.

어릴 적에는 아버지가 나를 업어 주었지만, 이제는 내가 아버지를 업게 되는 입장이 되고, 내가 미쳐 부모님에게 아직 못다 한 말이 있는데, 아버지와 준비안된 이별을 하고 마는 짱구.

"짱구 박사"

부산에서는 아버지가 자식들을 이렇게 많이 불렀다. 일본 만화에서 전해진 '짱구'가 아니라, 그냥 그렇게 불렀다. 항상 부모는 자식을 기다려 주지 않는다. 드라마<우리들의 블루스>(2022)에서 이병헌이 김혜자 어머니를 그렇게 무뚝뚝하게 대해도 결국 어머니한테 불효한 죄책감에 한라산에 올라 울부짖지 않는가? <바람>이 전하는 메시지는 결코 가볍지 않다.

이성한 감독이 연출한 <바람>은 제대로 된 부산사투리를 구사하는 유일한 영화다.

배우 '정우'는 다작하는 배우지만, 볼 때마다 성장하는 느낌이다. <응답하라 시리즈>에서 비친 쓰레기 이미지보다 영화 <이웃사촌>이 전하는 묵직한 역할도 그에게는 잘 어울리는 듯하다.

"그저 바라만 보고 있지,
 그저 눈치만 보고 있지."

                    -이웃사촌 中(가수 나미)

#바람 #정우 # 황정음 #2009년 이성한 감독

71. 이웃 사촌

"가택 연금을 시켜야겠습니다."

1980년대 군사독재 시절에는 모든 언론이 통제되어 정치인들이 직접 군중을 대상으로 연설하는 운동장에서만이 세상 돌아가는 정치적인 상황 알리고 비판할 수 있었다.

지금처럼 유투브가 있는 것도, 스마트폰 SNS가 존재하는 것도 아니니 정보 출처가 의심스러운 '찌라시'로 왜곡된 정보만 봐야 하는 시대였다. 그래서 당시 군사독재정권은 정치인을 집에서 나오지 못하게 하는 '가택연금(家宅軟禁)'이라는 불법적인 권력을 행사했다.

'가택연금'이란 집을 아예 교도소처럼 만들어 한 발자국도 나오지 못하게 하는 것이다. 2000년 노벨평화상을 받은 김대중 대통령도 미국에서 돌아온 직후 가택 연금을 당했다.

이 영화는 실화를 바탕으로 다룬 영화다. 대권(정우)은 가택 연금 중인 의식(오달수)의 옆집에서 그를 도청하고 감시한다. 시대적 배경을 알아야 이 영화를 더 재미있고, 감동 받을 수 있다. 정치에 무관심한 세대이지만, 그래도 관심을 놓아서는 안 되는 것 아닌가? 정치 공부를 할 마음이 없는 것은 잘 안다. 그래서 이런 실제 사실을 바탕으로 한 영화를 보면서 과거 1980년대 독재 시대에 어떤 일이 있었는지 엿볼 수 있다.

당시 3김이라고 김대중, 김영삼, 김종필을 일컫는 정치인이 있었다. 모두 가택 연금도 당해보고, 감옥에도 가고 각종 탄압을 받았던 시기. 3김 중 유일하게 끝까지 야당의 길을 걸은 정치인이 김대중. 2000년 노벨평화상도 받고, 북한 가서 김정일도 만나고 평화를 위해 노력을 많이 한 정치인이다. 1980년대를 다룬 영화 <1987>에서 민주화 시위에 나선 시민들을 보았다면, <이웃사촌>도 같은 시간을 공유한다. 1985년 야당 정치인을 선거 지원 유세와 대통령 출마 못 하도록 가택 연금을 실시했다. 무엇을 하는지? 어떤 경로로 외부와 소통하는지 모든 것을 감시해야 한다. 대권은 의식의 일거일투 족을 감시하다 보니, 아이러니하게도 그에게 빠져들고 만다.

그는 가족에겐 너무 가정적인 사람이고, 정치인으로서는 국민을 진심으로 생각하는 마음에 그에게 반하고 만다. 내가 하는 일이 사실과 다르게 그를 '빨갱이'로 증거를 조작하고, 가수 '나미'의 <빙글빙글>을 빨갱이 가사라고 금지곡으로 지정하는 것에 더 자괴감이 들게 하는 짓일 것이다. 정치인의 실명을 말하지 않았지만 누가 봐도 상징성을 알 수 있는 영화들이 있다. 가령 영화 <변호인>(2013)에서 송유석(송강호)는 노무현 대통령이다. 영화 <킹메이커>는 김대중 대통령이다. 이 영화도 '김대중 대통령'이다. 영화 제작은 기본적으로 많은 사람들이 참여하는 작업인 관계로 인간적으로 돌발변수가 가끔씩 일어나 영화에 악영향을 주기도 한다.

이 영화도 2018년에 개봉했어야 하는 영화임에도 당시 미투운동이 벌어져 주인공인 배우 '오달수'가 재판을 받게 되었다. 이로 인해 개봉이 2년 미루어졌고, 결국 무죄를 받고 개봉되었다. 하지만

2020년도는 '코로나'로 인해 극장에는 관객이 들지 않았다. 어쩌면 비운의 영화인가 싶다.

사람도 그렇다. 인생이 그렇게 쉽지 않다. 오죽하면 '새옹지마(塞翁之馬)'란 단어로 위안을 삼지 않는가?

가택 연금을 한다고 민주화로 흘러가는 흐름을 막지를 못했다. 1985년 즉 1980년대 군사 독재시절을 다룬 영화 중에 '가택 연금'을 소재로 하고 있다. 최근 미국 정보당국이 한국 용산 대통령실을 도청했다는 뉴스를 보면서 80년대 도청은 이렇게 노골적으로 했다는 것을 보면 깜짝 놀랄 것이다.

이환경 감독은 <그놈은 멋있었다>(2004), <각설탕>(2006),<챔프>(2011), <7번방의 선물>(2012)등을 연출했다.

1980년대 군사 정권 시절의 단편적인 정보를 모티브로 한 영화들이 많다. 광주민주화운동을 다룬 <택시운전사>처럼 말이다. 전체 80년대를 관통하는 흐름을 너무 짜임새 있게 잘 만든 장준환 감독의 <1987>을 보자. 도대체 그 시절 사람들이 어떻게 생활하면서 견뎠는지 잘 알 수 있다.

"내 다 책임 질기야. 며칠 만 참으라."

- 1987 中
-

#이웃사촌 #정우 #오달수 #2020년 이환경 감독

72. 1987

"탁 치니, 억하고, 쓰러졌습니다."

일명 386세대 민주화운동이 한창이던 1987년 난 고등학교에 입학했다. 중학교도 집에서 시내버스를 타고 10정거장 근 40분가량을 이동해야 하는 거리였는데, 고등학교마저 30분여를 버스를 타고 간 뒤에 정류장에서 등산하듯이 또 40분은 더 오르막길을 올라 야 하는 곳에 학교가 있었다. 당시에는 오전 수업을 마친 경우 늘 시내 도로에서는 매캐한 최류탄 가스 냄새와 민주화 데모를 하고 난 뒤의 흔적을 본 기억이 있다.

그날도 며칠인지는 기억이 없지만, 통학길 사이
육교에 올라서니 6차선 왕복 도로를 가득 메운 민
주화 시위대들이 행진 중이었다.

'독재타도 호헌철폐'

집으로 가는 버스에 겨우 탑승했지만, 시위대로
인해 꼼짝달싹 못할 처지였지만, 버스 안 승객들
은 아무도 불만을 표시하지 않았고 오히려 호응해
주었다. 아마도 그날은 1987년 6월의 어느 날이
었을 것이다. 영화 <1987>을 보면서 놀라운 점은
이어달리기 경주처럼 주연 배우들이 연속적으로
달리기 바톤을 이어받듯이 이야기를 이어간다. 특
히 거의 중반을 넘어서 연희(김태리)가 시위대에
휩쓸려 도망치던 중 신발가게에서 만난 이한열(강
동원)은 극장 관을 탄성으로 가득 물들게 했다.
<늑대의 유혹>(2004)이후 최고의 강동원 등장 장
면 아닌가?
1987년은 대한민국 민주주의 초석이 된 해이다.
독재국가에서 민주국가로 나아가기 위해 디딤돌이
된 역사적인 사건들이 영화 <1987>에서 나열된
다. 서울대생 '박종철 고문치사사건'으로 촉발된
민주화 시위는 '연세대생 이한열 열사'가 시위중
최루탄을 정면으로 맞아 숨지게 되자 전 국민이

목숨 걸고 아스팔트 거리로 나서게 된다.

'와 못 가노. 우리 종철이 빨갱이 아니다. 잘 가라 종철아.'

20대 청년 서울대 남학생이 책상 치는 소리에 심장마비로 죽었다는 어이없는 변명이 통할 것이라는 자체가 국민을 얼마나 우습게 봤는지에 대한 방증이다.

하기야 지금도 '날리면' '바이든' 논쟁을 하는 판이니 어쩌면 그 당시가 더 민주화 시대인 것 같다.

영화로 만난 <1987>이지만, 이건 다큐멘터리 같은 영화다. 박처장(김윤석)과 공안검사(하정우)의 만남은 영화 <황해>(2010) 이후로 다시 만나 불꽃 튀는 연기 대결을 벌인다. 서슬 퍼런 칼날이 춤추던 전두환 군사 독재정권 시대 한복판에서는 권력에 충실한 시녀들은 <암살>(2015)의 밀정 이정재처럼 변명하지 않을까?

'조국이 독립될지 몰랐으니까가 아닌 민주주의가 성공할 줄 몰랐으니까?'

남영동 대공분실에서 물고문에 전기고문에 사람을

아무렇지 않게 대했던 인간들. 그 시절 얼마나 많은 사람들이 고문으로 피해를 봤을까?

순박한 여대생인 연희(김태리)가 데모대와 같이 끌려갔다가 멀리 낯선 시골에 버려지는 설정도 허구가 아니다. 갓 스무 살인 여대생이 두 눈 가려진 상태로 이름 모를 곳에 버려진다면 얼마나 무섭고 두려울지 상상이나 되는가?

만화동아리에서 연희가 처음 마주한 광주민주화운동은 영화 <화려한 휴가>(2007), <택시 운전사>(2017)에서 잘 묘사되어 있다. 1980년대 정치 상황을 다룬 영화 중에서 이렇게 긴 호흡으로 달려가는 영화는 장준환 감독의 <1987>이 유일하지 않나 싶다. 단편적인 사건을 다룬 영화보다 1987년 6월 항쟁을 향해 달려가는 연속적인 인물을 보는 재미가 넘치기에 꼭 보기를 당부한다. <1987>에 출연하기 위해 많은 배우들이 너도나도 감독님에게 부탁도 했다고 하니, 당시 영화 촬영 시에도 화제가 많이 된 모양이다.

스쳐가는 장면들에도 모두 이름난 배우들이니 영화를 보는 내내 한순간도 눈을 뗄 수가 없다. 아직도 우린 386 정치인들이 한국 정치 무대의 한가운데 주인공이다. 그들을 이해하기 위해서라도 반드시 봐야 할 영화다. 영화 <1987>은 700만 관객을 동원해서 같은 해 개봉한 <신과 함께>(2017)

에 조금 밀렸고, <강철비>(2017)라는 보수 영화와
대결했다. 아직 진보 영화에 대한 반대 세력이 있
을 것이다. 정치적으로 보수적인 색채가 분명한
사람은 이 영화가 불편할지도 모른다.

장준환 감독을 기억하는 것은 배우 문소리의 남편
이고, 이해하기 힘든 영화 <지구를 지켜라>(2003)를
찍은 돌아이 감독이다.

<1987>을 통해 그 재능을 드러냈다고 보여진다.
이제 그가 무엇을 더 보여줄 것인가 궁금하다.

명동성당에 숨어서 겨우 목숨을 보전한 민주투사
김영남(설경구)은 영화 <킹메이커>에서 대통령 후
보인 김대중으로 다시 한번 더 정치적인 인물이
된다. 두 영화가 묘하게 연결되게 보이는 것은 나
만 그런가.? 물론 영화 <변호인>도 같은 시대를
관통한다. <1987>에서 경찰 고문으로 대학생이
죽었다면, 이제 <변호인>에서 그를 변호하는 인권
변호사를 만날 수 있다.

"변호사란 분이 법을 잘 모르시나 본데,
 국보법은 선 체포 후 후 영장 집행이야."

- 변호인 中

#1987 #강동원 #김태리#김윤석.#2017년 장준환
감독

73. 변호인

"우리가 남이가"

1995년 부산 시장선거는 민자당(국민의힘 전신)과 민주당의 대결이었다. 지역 성향상 무조건 민자당 후보가 당선되는 곳이다. 부산사람 노무현은 일명 호남 전라도당인 민주당 시장 후보로 출마했다. 그는 당시 민자당 후보인 문정수보다 인기가 많았지만, 부산 유권자들은 호남당 민주당을 찍지 못했다. 이유는 알 것 같기도 하지만, 이해는 안 되었다. 2023년 지금도 경상도 전라도 정치인들은 지역감정으로 인해 타지역에서 낙선하는 그런 이유다. 당시 그는 결국 선거에서 졌다.

'대한민국 헌법 제 1조 2항. 대한민국의 주권은 국민으로부터 나온다.'

초기에 주인공 송유석은 부산에서 변호사로 개업한 후 목적이 오직 돈벌이였다. 빨리 금전적으로 성공하기 위해 부동산 중개 일까지 수임을 하고 승승장구했지만, 마음에 빚을 진 단골 국밥집 아들에 대한 고문 조작 사건 변호를 맡기 시작하면서 그의 인생이 180° 바뀐다. 일명 '부림사건'이다. 부당한 군사 독재정권에 맞서 자신도 모르는 사이에 인권 변호사로 거듭나게 되면서 대한민국 정치사에서 없어서는 안 될 인물로 성장한다. 그는 바로 변호사 송유석(송강호)이며 실제 인물 노무현이다.

'바위는 아무리 단단해도 생명이 없는 것이고, 달걀은 깨지더라고 생명이 있다.'

영화 <변호인>을 보면, 눈가가 촉촉해지고 가슴이 먹먹해진다. 지금 대한민국의 현실이 그때와 크게

다르지 않음에 더 답답해진다. 마치 30년 전 과거와 무전기 하나로 현재로 연결되었던 드라마 '시그널'처럼

"미래인 그곳은 민주화된 사회인가요?"
라고 묻고 있는 것 같다.

영화 <변호인>과 함께 같은 시대를 관통하는 영화로는 장준환 감독 <1987>(2020), 김봉한 감독<보통사람>(2016)이 있다. 물론 둘 다 실화다. '노무현'이란 사람은 도대체 어떤 존재인가? 지금도 김해 진영 봉하마을 노무현 기념관에는 많은 추모객들이 방문한다.
세월이 흐를수록 그가 그리운 이유는 무엇일까?배우 '송강호'는 <변호인>, <택시 운전사>(2017)로 어쩌면 진보적인 정치 영화에도 두려움 없이 출연해 블랙리스트에도 올랐던 배우지만, 국민배우인 그에게 누구도 뭐라 할 수 없다. 2022년 칸영화제에서 <브로커>(2022)로 남우주연상을 받았고 2019년 아카데미 4관왕 <기생충>(2019)으로 연기 폭이 얼마나 넓은지 상상 불가하다. 대한민국에서 배우 송강호를 이야기하지 않고는 이제 한국 영화를 논할 수 조차 없는 배우다. 연기인 듯 아닌 그의 생활 연기는 상상초월이다.

정치인 인간 <노무현>이란 삶을 알지 못하는 사람들에게 꼭 권하고 싶은 영화 < 변호인>이다. '노무현'은 지역감정 타파를 위해 자신의 '정치 인생 모두를 바쳐 살아온 사람이다. 일명 부산사람으로 전라도 당을 선택하여, 부산시장으로 당선된다는 것은 지금도 어려운 일이지만, 당시로서는 정말 '계란으로 바위 치는 격'이다.

양우석 감독은 <변호인>은 좌파 성향의 영화인데, 반해 우파성향인 <강철비>(2017)도 연출을 했기에 좌우 스펙트럼에 아무런 상관이 없는 감독인가 보다. 대한민국에 '지역감정'은 언제 생겼을까? 그에 대한 힌트를 조금이라도 알 수 있는 영화 < 킹메이커>를 보자. 실존 인물을 바탕으로 했기에 마치 '이제는 말할 수 있다.'처럼 다큐멘터리를 보는 느낌이 있다. 조연인 '이선균'의 연기가 뛰어나 주연 '설경구'를 넘어설 지경이다.

"내가 제일 싫어하는 말이, 바로 '졌잘싸.'입니다."

-킹메이커 中

#변호인 #송강호 #임시완 #2013년 양우석 감독

73-1. 킹메이커

"정당한 목적에는 수단을 가릴 필요가 없다."
- 철학자 플라톤

<킹 메이커> '서창대'(이선균)은 오직 선거에서 이기는 것이 최선이라고 주장한다. 최근 넷플릭스 드라마 <퀸 메이커> '김희애'도 그런 주장을 했었나? 선거에서 이겨야 내 뜻대로 무언가를 죽이 되던 밥이 되던 할 수 있는 것이다. 결국 온갖 치사한 방법을 다 동원해서 김운범(설경구)를 선거에서 승리하게 만들었고, 이제는 다음 단계인 최종 '대

통령 후보'로 만들기 위해 무엇이든지 다 해야 한
다.

영화 <킹메이커>는 '서창대'란 인물을 다루고 있
다. 사실 '서창대'는 실존 인물인 <엄창록>을 모티
브로 하고 있다. <엄창록>은 한국전쟁 당시부터
심리전으로 활동한 하사관 출신으로 '마타도어
(matador:근거 없는 사실을 조작해 상대편을 중
상모략하거나 그 내부를 교란하기 위해 하는 흑색
선전(黑色宣傳)을 뜻)'의 귀재로 불린 유명한 모사
꾼이었다.

어쩌면 한국의 <괴벨스>로 불리 울 허구성 소문들
로도 넘쳐나는 인물이고, 진실인지 아닌지 알 수
는 없지만, <지역감정>을 최초로 불러일으킨 인물
이었다고 한다. 만약 그것이 사실이라면, 한국 정
치사에서 <서창대>란 인물을 용서하기 힘들다. 과
연 그가 선거에서 무조건 이기기 위해 어떤 네거
티브전략을 사용했는지 <킹메이커>를 보면 더러운
불법 선거 장면들이 자세히 다루어지고 있다.

"생각 바뀌면 연락주세요. 그림자씨."

마이클 샌델 박사의 '정의란 무엇인가?'에서도 어
느 선택이 진정한 정의인지를 계속 묻는다. 물론
샌델 박사는 [공리주의] 입장을 취하지만, 그것이

반드시 정의라고 하기에는 무리다. 가령 기차가 고장 나서 무작정 달리는 방향에 두 갈래 길이 놓여 있고, 한쪽은 100명의 수리공이 철길에서 수리 중이고, 다른 쪽은 1명이 있다면, 일반적으로 1명을 희생하는 쪽으로 선택해야 한다고 한다. 모두 당연하게 그렇게 인정한다. 하지만, 만약 그 한 명이 당신의 부모라면 당신은 한명을 선택할 수 있겠는가? 과연 정의란 것이 어떻게 생각하느냐에 따라서 각자의 입장에 따라서 달리 해석된다면 그것도 정의라고 할 수 있나?

영화 <영웅>(2020)에서 안중근 의사는 산 중턱에 위치한 본거지에서 일본군과 치열한 전투 후에 포로로 잡힌 이들을 국제법상으로 풀어주지만, 그들은 일본군대를 이끌고 다시 독립군을 공격해 온다. 안중근은 이 전투로 인해 동료도 잃고 큰 고초를 겪게 된다. 그럼, 그때 당시 포로를 다 사형시켰어야 하나? 어려운 문제다.

이번 영화에서도 설경구와 이선균의 케미는 아주 훌륭하다. 마지막 장면에서의 만남도 아주 극적이었다. '서창대'란 인물은 부 정의한 인물이다. 그는 절대 위인이 되지 못할 것이다.

변성현 감독은 <불한당>(2016)에서 설경구와 임시완의 멋진 브로맨스를 잘 보여주었다. 이선균 배우가 멋지게 열연한 <킹메이커>이지만, 서창대 인물의 부정적인 면으로 인해 극장에서 크게 흥행은 되지 못했다.

그가 더 멋지게 활약한 영화 <기생충>을 통해 계급사회에서 냄새가 어떤 의미인지 다시 그를 만나보자.

"너는 다 계획이 있구나."

-기생충 中

#킹메이커 #설경구 #이선균 #조우진 #2021년 변성현 감독

74. 기생충

"제시카 외동딸 일리노이 시카고"

제72회 칸영화제 황금종려상, 제 92회 아카데미 4관왕(감독, 각본, 작품, 외국영화)을 차지한 <기생충>의 매력은 무엇일까? 봉준호 감독 <기생충>은 계급사회, 빈부 격차가 큰 사회현상을 고발했다. 인터넷 와이파이도 안되는 반지하에서 생활하는 기우네(최우식) 4인 가족은 박대표(이선규) 집안에 정체를 숨긴 채 각자 나름 역할 (과외선생, 미술 선생, 가정부, 운전기사)을 하면서 기생하기 시작한다. 그들은 언제까지나 그 집에서 기생할 수 있을까? 하지만, 알고 보니 박대표 집에는 그를 존경하는 또 다른 존재가 기생하고 있었으니?

민주사회에서 사회적인 불평등, 빈부 격차를 어떻게 해결해야 하는가? 조세호 작가 <난장이가 쏘아 올린 공>은 출간된 지 거의 50년이 흘러도 유의미한 감동을 주는 까닭은 무엇인가? 재개발지역에서 쫓겨나는 원주민을 삶이 아직도 진행형일 이유일 것이다.

최인훈 작가 <광장>의 주인공 이명준은 남북 어느 쪽에도 포함되지 못하고, 망망대해에 몸을 던진 이유를 아직도 찾아야 하는가? 좌우 어느 곳도 자유가 보장되지 못하는 현실도 아직 진행 중인 현실이다.

영화 <아수라>(2016)는 부패한 정치인의 민낯을 샅샅이 보여주지만, 과연 영화 공간에서만의 픽션일까? 영화<1987>(2017)에서 빨갱이를 잡기 위해 광기 어린 눈빛을 선보이는 김윤석은 과연 1987년에만 존재한 과거 인물일까? 한국 영화는 이제 무언가를 넘어섰다. <기생충>으로 이제 자막의 편견도 사라졌다. 한국 영화가 유럽의 칸을 뛰어넘고, 헐리우드 아카데미 오스카상을 정복했다. <기

생충> 이후에 해외여행을 가서 한국을 홍보할 때, 이제 <BTS>만 있는 것이 아니라, 영화 <기생충 (PARASITE)>도 있다. 한국에서 상영되었을 당시에도 유투브에는 너도나도 모두 영화평론가가 되었다. 관람객들도 뭔가 상징성에 대해 이야기 하는 평론가 수준이 되었다.

이제 봉준호 감독은 스스로를 뛰어 넘고 이기는 것만이 명장 감독의 반열에 오를 것이다. 또한 그것이 가장 어렵다. 앞서가는 1인자는 그 놈을 모델로 삼아, 뛰어넘기 위해 노력할 수는 있지만, 자신이 역사를 만들어 가는 사람은 외롭다.
<기생충>은 계급 관계를 선과 냄새로 구분한다.

'선을 잘 지켜라.'
'이상한 지하 냄새가 난다. 행주 삶은 냄새 같은'

봉준호 감독이 헐리우드 배우들과 작업한 <설국열차>를 보자. 애프터 아포칼립토 세계를 보여준다.

"나는 닫힌 문을 열고 싶다."

-설국열차 中

#기생충 #송강호 #이선균 #2019년 봉준호 감독

75. 설국열차

"꼭 앞칸까지 가야 하겠나."
"네 절대 멈추지 않을 겁니다."

영화라면 이 정도는 되야지. 한국 감독 봉준호가
연출한 헐리우드 SF영화 영화를 보면서 대배우를
보는 감동보다 왠지 뿌듯한 자부심이 든 최초의
영화.

영화<설국열차>는 사전 정보를 알고 보는 것이 훨
씬 이해도가 빠르고 재미도 있다. <캡틴 아메리

카>(2011)의 '크리스 에반스'와 씬 스틸러 '틸다 스윈튼'을 한국 봉준호 감독이 연출한 영화에서 볼 수 있는 감동이 존재한다. '봉준호'는 이제 영화 제목보다 감독 명성이 더 높은 감독이 되었다.

<설국열차>는 프랑스 만화 '눈꽃을 찾아서'를 원작으로 한다. 지구가 망한 디스토피아를 그린 영화 중에서 지구에는 생존 불가능한 한파로 인해 무한궤도 열차를 타고 끝없이 달려야 하는 그 열차 칸에서 벌어지는 인간 군상들 모습이다. 꼬리 칸 탑승자는 인간 이하의 대우를 받고 바퀴벌레로 만든 단백질로 목숨을 연명하면서 언젠가는 앞칸으로 이동해 상류층의 삶을 살고 싶은 충동을 늘 가지고 있다. 매일 매일 혁명을 꿈꾸며 기회를 엿보면서 살아가는 중이다. 마침내 모든 계획을 실행한 쿠데카를 일으켜 앞칸으로 한칸씩 전진하게 된다. 열차를 설계한 인물로 출연한 <송강호>는 고아성과 부녀 사이로 다시 만났다.
영화 <괴물>(2006)이후의 만남이다. 이 영화를 보고, <괴물>을 다시 본다면 세월 흔적을 많이 느낄 것이다. <괴물>에서는 안타깝게도 딸을 잃었지만, <설국열차>에선 무사히 살아남을 수 있을 것인가? 남궁민수로 분한 송강호의 비밀스런 캐릭터는 설국열차의 핵심이다.

남궁민수는 앞칸으로 이동이 중요한 것이 아니라, 아예 열차에서 탈출하는 것을 꿈꾼다. 앞이 아니라, 옆이다. 틸다 스윈튼이 연기한 메이슨 총리는 외모와 카리스마가 평생에 기억에 남을 듯한 표정이다. 손가락 동작을 보면, 그녀는 아마도 하층 칸 출신인듯한 힌트를 주기도 한다.

영화 <설국열차>는 넷플릭스에서 드라마로 리메이커 될 예정이지만, 반드시 영화로 먼저 만나 보시길 바란다.

<설국열차>를 본 후 KTX를 탑승할 때면, 앞쪽 특실 칸을 자꾸 쳐다 보는 버릇이 생겼다. 기차여행 시에 일반석 매진 아니라면, 특실을 탈 이유가 없는 나로서는 못 타는 것과 내가 안 타는 것은 분명 다르다고 강조하고 싶다. 난 안 타는 것이다.

봉준호 감독은 디테일의 끝판왕 감독임을 증명하듯이 <설국열차>에는 많은 숨겨진 의도가 있다. 그래서 줄거리를 알고 봐도 더 재밌다. 특히, 열차 칸의 시위가 '윌 포드'와 '길리엄'가 서로 미리 짜고 벌인 짓 이라던지 마지막에 딸 고아성이 탈출하고 난 이후 북극곰을 만나는 장면에서는 오히려 열차가 더 안전한 곳이 아니었나 하는 생각이 들게 한다.

<송강호> <고아성>이 부녀지간으로 처음 출연한 장면을 보고 싶은 마음에 한국 최초 화창한 한강 시민 공원 대낮에 <괴물>이 출연한 영화인 <괴물>을 적극 추천 한다.

"니들 정말 못 봤어? 물속에 커다란 저거?"

-괴물 中

#설국열차 #그리스 에반스 #틸다 스윈튼 #송강호 #고아성 #2013 봉준호 감독

76. 괴물

"그냥 한강에 다 버려 버리세요."

한강시민공원에 나타난 괴물에 우리 딸 현서(고아성)가 납치되었다. 영화 <국제시장>(2014) 흥남부두에서 동생 손을 놓친 것에 버금가는 충격적인일이다. 괴물에 쫓겨 도망가다가 강두(송강호)는딸 손을 놓치고 말았다. <괴물>에서의 인연은 거기에서 끝났지만, 수년이 흐른 후 송강호와 고아성은 <설국열차>(2013)에서 다시 부녀지간으로 재회한다.

미군이 독극물을 한강에 무단 방류한 후 몇 년이 흘러 한강에 괴물이 나타난다. 돌연변이 괴물은 한강에서 살면서 인간을 납치하여 먹이로 쓴다. 정부기관은 괴물에 접촉한 사람에게 바이러스가 옮았다면서 마구 잡아들이고 가두고 한강에 화학무기로 괴물을 소탕 할 계획을 세운다. 제대로 된 정부 매뉴얼 없이 중구난방 대처 중이며, 이런 사회에 한 가족이 대책없이 내 몰린다. 딸이 납치되었지만, 오직 가족만이 힘을 합쳐 지켜야 하고 구해야 한다.

미국은 아니 강대국은 그들이 사용한 남의 나라 땅과 강을 마음대로 오염시킨다. 내 땅이 아니란 이유만으로.

'덕분에 다 모였구나.'

할아버지 변희봉은 이렇게라도 모이니 좋은 모양이다. 이제 정부에 기대어 딸을 구하기는 틀렸고, 할아버지, 아버지, 삼촌, 고모가 나섰다. 가족의 힘으로 무사히 현서를 구할 수 있을 것인가? 디테일 감독 봉준호가 선사하는 한국 최초 괴물영화다. 2006년도 선보인 <괴물>은 2007년 심형래 감독의 <디 워>까지 이어졌다. 심형래 감독의 <디

워>는 국뽕에 의지한 영화였지만, 봉준호 감독의 괴물은 탄탄한 스토리를 바탕으로 한다. <괴물>의 관객은 1,000만 명이었고, <디 워>도 800만 명이었다. 두 영화를 안 봤으면, 모두 보기를 추천한다. 재미가 있던 없던 역사적인 한국영화를 보고서 평가하자.

봉준호 감독은 이후에도 줄곧 영화감독으로서 역량을 펼쳐나갔지만, <디 워>의 심형래는 사건 사고에 휘말리며 자체 침몰하고 말았다. 안타까운 현실이다. 괴물 SF영화로는 2011년 영화 <7광구>가 블록버스터급으로 제작되었지만, 한국 영화를 괴물영화로부터 영원히 사라지게 만들 충격적인 결과를 가져오고 말았다. 그 이후 지금까지 10여 년이 흘렀지만, 괴수영화가 제작되지 못하고 있다. <7광구>는 추천도 하기 싫은 영화다.

봉준호 감독은 <괴물>(2006), <마더>(2009), <설국열차>(2013), <옥자>(2017), <기생충>(2019)로 날로 날로 진화를 거듭하여 이제는 세계적인 배우들이 출연하고픈 감독으로 대한민국의 보물 감독이 되었다.

영화 <괴물>에서 대학생으로 분한 '박해일'은 이

제 성장에 성장을 거듭하여 제대로 된 1급 배우로 탄생했다. <헤어질 결심>에서 '탕웨이'와 같이 연기한 고급 형사 분위기는 '박해일'이 아니면 도저히 다른 배우가 할 수 없는 일이다.

"내가 그렇게 만만합니까?"
"내가 그렇게 나쁩니까?"

-헤어질 결심 中

#괴물 #송강호 #배두나 #박해일 #2006년 봉준호 감독

77. 헤어질 결심

"슬픔이 파도처럼 덮치는 사람이 있는가 하면,
물에 잉크가 퍼지듯이 서서히 물드는 사람도 있는
거야."

'해준(박해일)은 파도 같고,
서래'(탕웨이)는 잉크처럼 물드는 사랑일 듯..'

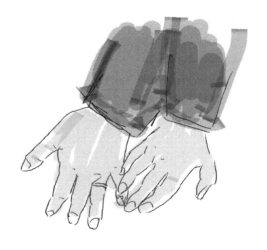

대부분의 남자들은 '해준'이고, 여자들은 '서래'가
아닐까? 절벽에서 추락한 시체를 발견하고 수사를
시작하는 엘리트 형사 해준역은 박해일이다. 형사
반은 죽은 사람의 아내인 '서래'를 의심하지만, 그

녀에게 품은 의심은 점점 관심으로 바뀌어 가고, 관심을 가질수록 점점 그녀에게 빠져들고 만다. 한국말이 서툰 중국 동포인 서래는 등산 갔다가 떨어져 죽은 남편의 죽음에 대해

"마침내 죽을까 봐."

<마침내>라는 말은 박찬욱 감독 영화에서 뭔가 강한 메시지를 지닌 암시 느낌이 물씬 난다. '서래'가 한국말이 서툴다는 설정이 진짜인지 가짜인지부터 '서래'의 본심이 무의식적으로 나온 말인지 의식적으로 한 말인지 까지 말이다.

'서래'를 조사하는 경찰서에서 '스마스시 모듬 초밥'을 먹을 때, 이미 '해일'은 그녀에게 빠진 것일지도. 일반적으로 경찰서에서는 설렁탕이나 국밥을 먹을 텐데, 최고급 스시로 대접하는 이유는 뭘까? 영화 <독전>(2018)에서 김성령이 국밥에 머리를 갑자기 박고 급사하는 장면이 생각나지 않는가? 박찬욱 감독의 변태적인 스타일을 조금 엿 볼 수 있는 장면은 조사실에서 '서래'의 허벅지에 남편의 폭행으로 인해 난 상처를 '해일'이 증거를 남긴다면서 스마트폰으로 자세히 찍는 묘사가 관음적인 시각을 보여준다. 탕웨이의 허벅지를 보여주는 의도가 분명 있다.

이후 '서래'를 감시하기 위해 그녀의 아파트 주차장에서 잠복 수사하면서 더욱 더 그녀에게 빠져들고, 그녀는 그가 자신을 관찰하고 잠복한다는 것을 알면서도 전혀 무섭거나 두려워하지 않는다.
오히려 사랑하는 사람이 자신을 지켜본다는 것에 만족하는 지도 모른다.

'사랑이라는 것은 서로에 대한 관심이다.'

형사 '해일'의 불면증이 미해결 사건에 대한 집착 때문이라는 것을 알게 된 후, '서래'는 미해결 증거 사진들을 불태워 버린다. '해일'을 무심한 듯 관찰해온 것인가 '서래'는 '해일'의 바뀐 구두도 이미 인지하고 있었다. 결국 해일은

"나는 완전히 붕괴되었어요."

그녀에 대한 사랑에 그는 항복하고 말았다. 그녀가 분명 범인인 걸 알지만, 이제 그녀를 위해 살인 증거품인 그녀의 스마트폰을 바다 깊은 곳에 버리라고 충고까지 하게 된다.
<박쥐>(2009), <올드보이>(2003) 등 칸국제영화제에서 수상을 해 온 박찬욱 감독은 성적인 장면없이 <헤어질 결심>을 최고의 영화로 성장시켰다.

한국을 대표하는 영화 감독 중에서 박찬욱은 고급지고 변태적이며 폭력적인 영화로는 최고의 감독 같다. 그가 연출하는 모든 영화를 보고 싶고 기대되는 이유이기도 하다.

특히 <헤어질 결심> 마지막 바닷가 파도 장면은 지금까지 보아온 영화 중에 가장 충격적이고 잊을 수 없는 엔딩 이었다.

"난 해준씨의 미 해결 사건이 되고 싶어요."

배우 '박해일'은 이제 어떤 장르의 영화, 드라마에서도 주연배우로 손색이 없다. <괴물>(2005)과 <연애의 목적>(2006)에서 찌질한 삼촌 노총각 이미지는 이미 과거의 일이다. <명량>(2014)에서 '최민식'의 이순신 장군에 이은 <한산>에서는 '박해일'이 이순신 장군으로 분해 담담한 대사와 명령을 소화해 내었다.

"이 한 몸 죽는다 한들, 여한이 없을 것입니다."
-이순신 장군

#헤어질 결심 #박해일 #탕웨이 #2021년 박찬욱 감독

78. 명량, 한산, 노량

"출정하라. 발포하라"

조선 선조 1592년 4월 임진왜란이 발발했다. 단
보름 만에 조선은 한양까지 속절없이 함락되었다.
전 국토가 끔찍하게 유린 되었고, 찌질한 왕의 대
표 격으로 묘사되는 '선조'는 밤사이 몰래 명나라
와 가까운 '의주'로 <한양>과 <백성>을 버리고 도

피했다. 나라가 위기에 처할 때면 항상 민초들이 일어섰다. 전국에서 목숨을 버릴 각오로 '의병'이 일어났지만, 있어야 하고 지켜야 할 자리에 '관군'은 사라졌다. 하지만, 한반도 남해 바다에는 이름조차 불리기에 신성스러운 성웅 '이순신 장군'과 '거북선'이 왜놈들 앞에 버티고 있었다.

역사에 가정은 없다지만, 만약 '이순신 장군'이 없었다면 끔찍하다. 상상조차 하기 싫다. KBS 대하드라마 <불멸의 이순신>이후 <이순신 장군>이 등장한 영화 <명량>은 관객 1,700만 명을 동원하여, 한국 영화 역대 흥행 순위(2022년까지) 1위에 올랐다. 13대 300척의 절대 불리한 <명량해전> 감동의 벅찬 울림은 아직도 먹먹하다. 이제 <명량> 이후 8년만에 김한민 감독의 3대 대첩을 그린 영화 중 2부인 <한산>이 개봉했다. 영화 <한산>은 임진왜란 발발 후의 조선 수군과 왜군간의 첫 해상 대규모 전투다. 임진왜란이 일어난 지 4개월 뒤 1592년 7월에 첫 만남이다. 조선 침략에 철저히 준비한 왜선 무리들이었지만, 우리에겐 그보다 더 완벽한 '이순신 장군'이 존재했다. 이날 승리를 <한산대첩>이라고 불리운다. 책속에서 삽화로만 봤던 상상속 <학익대전>이 실제 눈앞에 화려하게 펼쳐진다.

"발포하라."

<명량>에서 '최민식'이 연기한 이순신과 달리 <한산>에서 '박해일'의 목소리는 담백하다. 또한 스크린에 처음 구현된 거북선이 스크린을 뚫을 듯이 등장할 때마다 압도적인 카리스마에 관객들은 탄성을 질렀다. 거북선은 왜군에게 처음부터 아니 이미 두려운 존재가 되었다.
<한산대첩>에서 겨우 목숨만 건진 '와키자카 야스하루'(변요한)의 실제 후손은 수백 년이 지난 지금도 그날을 기억하면서 미역을 먹는 행사를 가진다고 한다.

'이 전쟁은 의와 불의의 싸움이다.'

우리 국민뿐만 아니라 전 세계가 반한 성웅 <이순신 장군>의 인품에 무한한 존경을 표한다. 광화문에 우뚝 서 있는 <이순신 장군>의 늠름한 기품에 대한민국 국민의 자긍심은 끝이 없다.
김한민 감독은 <명량>, <한산>, <노량>의 3부작을 기획했다. 그는 전작인 <최종병기 활>(2011)에서 극도의 긴장감을 한껏 표현했던 연출기법이 연속적으로 이어지는 듯하다. <명량>보다 스토리와 그래픽적으로는 한 차원 진화한 스케일과 박진감으로 무장한 <한산>이기에 개봉 예정인 <노량>은 더 큰 기대가 되었다. <한산대첩>은 위대한 승전보를 울린 임진왜란의 첫 해전의 시작이다. 거북선과 이순신 장군의 존재가 드러나기 시작한 대서막이었다.

김한민 감독은 배우 '박해일'과 여러 작품을 함께 했다. <극락도살인사건>(2007), <최종병기 활>(2011), <한산> 등이다. 사극 전투 영화 연출은 김한민 감독이 최고인 듯하다.

배우 '박해일'의 매력에 흠뻑 빠져보자. 아마도 조연으로 출연한 많은 영화들 가령 <괴물>(2006)이나 <고령화 가족>(2013)을 보거나 했겠지만, 연극 같은 영화 <소년, 천국에 가다>란 동화 같은 스토리의 영화가 있으니 꼭 보기를 추천한다.

"누구라도 그러하듯이 길을 걸으면, 생각이 난다."
- 소년, 천국에 가다 中

#한산 #박해일 #손현주 #안성기 #2022년 김한민 감독

79. 소년, 천국에 가다.

"나는 미혼모 남편 될거다."

영화 포스터가 유독 기억에 남는 영화가 있다. 영화 <소년 ~>도 그렇다. 영화를 영화로 보기에 딱 맞은 수준인 영화다. 어린 여자 꼬마가 눈을 똥그랗게 뜬 채 올려 다 보는 포스터가 인상적인 이탈리아 영화 <아멜리에>(2001)가 있고, 영화를 보는 내내 화려한 CF 장면같은 화면들이 기억에 남는 '나카지마 테츠야' 감독의 <혐오스런 마츠코의 인생>(2007)도 있다. 또한 '톰 행크스'가 15세에서 30세로 점프한 영화 <빅>(1989)도 있다. 시간이 거꾸로 흘러가는 '브래드 피트' <벤자민 버튼의

시간은 거꾸로 간다.>(2008), 타임 머신 영화의 고전인 '마이클 J폭스' <백 투더 퓨쳐>(1985) 등이 있다.

이 영화는 미혼모 부자(염정아)와 청년 네모(박해일)의 러브스토리다. 하지만, 설정 자체가 만화적이기에 마음을 비우고 가볍게 보자. 사춘기 소년으로 변해 버린 갑자기 키스에 목마른 이름 '네모' 소년 '박해일'을 보면서 오직 한가지 섹스만을 목표로 했던 <연애의 목적>(2005)이 자꾸 생각나는 건 나만 그런가? 미혼모인 아들인 13세인 네모와 같은 미혼모 입장인 부자는 이야기는 어쩌면 남자들의 누나 판타지를 자극하는 것도 같다. 네모는 부자를 보고, 첫눈에 반해 사랑에 빠지지만, 부자의 눈에는이제 겨우 13세인 남자 꼬마 아이다. 어린 소년에게는 왜 연상의 여인이 이상형이 될까? 흔히 어머니의 사랑을 받지 못해서 그렇다는 콤플렉스를 주는데, 여기서도 그렇다. 하지만, 분명히 말하고자 하는 것은 다 그런 것이 아닐 것이다.

네모는 극장에서 화재가 발생하여 아직 죽을 운명이 아니었던 그가 천국에서 다시 지상으로 환생했지만, 하루가 1년 단위로 배정받아 겨우 60일 살 수 있다. 천국의 시간과 지상의 시간이 다르기에...다시 지구로 돌아와 외모가 청년 33세가 된

네모와 부자는 드디어 사랑에 빠지지만, 시간이 많지 않다.

"내가 부자씨 앞에서 갑자기 없어져 버려도,
 절대 부자씨를 사랑하지 않아서 없어진 것이 아
 니니, 오해마이소."

<소년, 천국에 가다>(2005)를 보면서 영화배우들이 대단하다는 생각을 한다. 연기자란 것이 결코 쉬운 직업이 아니란 것을 인정한다. '염정아'는 밤무대 가수 역할이기에 노래도 불러야 하고 춤도 춰야 한다. 배우란 직업이 쉽지 않다는 생각을 처음으로 목격했다. <염정아>는 미스코리아 타이틀보다 이제는 <배우였구나> 감탄하게 된다.

<인생은 아름다워>(2022)란 뮤지컬 영화에 캐스팅된 이유가 오래전 시작되고 있었구나 깨닫게 되었다. 시간을 거슬러는 타임슬립 영화들은 현실의 한계치와 제약을 뛰어넘었기에 동화 같은 장면들과 스토리를 제공해 준다.
사랑이 무엇인지? 돌이켜보게 하고, 시간의 중요성을 한번 더 일깨워 주기도 한다.

'시간은 황금이다.'

당신에게 하루가 일 년이라고 상상해보라. 지금 당장 하고 싶은 일이 뭘까? 한 그루 나무를 심는 다는 쓰레기 같은 말은 집어 치아라. 심을 땅도 없는 놈들이.

윤태용 감독이 연출한 화면이 아름다운 영화다. <소년, 천국에 가다>에선 배우 '박해일'이 갑작스 럽게 하루가 일년인 노인으로 변해가지만, 영화 <수상한그녀>에서는 배우 '심은경'이 외모 그대로 출연하지만, 하는 행동거지만큼은 완벽한 70대 노 인역을 맡았다.

"조용히 비가 내리네."

-수상한 그녀 中(심은경)

#소년, 천국에 가다. #박해일 #염정아 #2005년 윤태용 감독

80. 수상한 그녀

"제가 50년은 더 젊어 보이게 해 드릴께요."

영화 <수상한 그녀>를 보고 나서 나도 어딘가에
존재할 듯한 '청춘사진관'을 찾아가고 싶었다.

"나 돌아갈래"

영화 <박하사탕>(2000) '설경구'처럼 두 팔 벌린
포즈를 취하면서 외치고 싶다.
'청춘사진관' 사진사는 장난인 듯 진지하게 묻는

다.

"언제로 돌아가고 싶으세요?"

만약 내가 주인공 '오말순'이었다면, 글쎄 난 언제로 돌아가고 싶은 걸까? 큰아들, 며느리, 손자, 손녀들과 함께 한집에서 살고 있는 오말순(나문희)은 미리 영정 사진을 찍어두기 위해 '청춘사진관'에 들렀다. 걷다가 무심코 찾은 그 곳에서 스무 살로 회귀한 삶인 <청춘>을 선물 받는다. 자신도 모르는 사이 20살 오드리(심은경)로 변한 그녀는 버스 정류장을 막 출발한 시내버스를 달려가서 탈 정도의 체력으로 완벽히 부활한 화려한 제2의 젊은 인생을 살게 된다.
그렇게 청춘을 살다가 교통사고 난 손자 '반지하'(진영)를 구하기 위해 병원 응급실에서 손자에게 수혈에 자발적으로 나선다. 비록 70세 노인으로 다시 돌아가야 하지만, 그녀는 후회 없이 손자를 위해 희생한다.

"참말로 좋은 꿈을 꾸었어."

'사랑하는 손자가 중요하지, 다 늙은 내가 뭘...'

그리고는 결국 다시 욕쟁이 할매로 간다. 이 영화의 반전 매력은 박씨(박인환) 할아버지가 멋있게 오토바이 헬맷을 벗을 때 관객들은 감탄사를 연발한다. 할아버지가 돌아간 청춘 사나이는 바로 배우 '김수현'이었다.

"워떠..후달려"

나문희 배우님은 대한민국 '할머니' '어머니' 역할로는 타의 추종을 불허한다. 더 이상 긴말이 필요치 않다. 위안부의 삶을 다룬 영화 <아이 캔 스피크>(2017)로 제38회 청룡영화제 '여우주연상' 수상도 했다.

심은경은 실제 나문희 배우의 어릴 적 모습인 듯 디테일을 묘사한 연기와 노인 말투는 싱크율 100%다. '심은경'이란 배우가 없었다면, <수상한 그녀>도 탄생하지 못했을 것 같다. 영화 OST '나성에 가면' '빗물'도 덕분에 최고 수혜 가요로 잠시 히트 역주행했다. 한동안 영화에 젖어 주야장천(晝夜長川) 심은경이 부른 노래를 들었으니 말이다. 담백한 심은경 목소리가 너무 좋다. 그녀는 이미 <써니>(2011)에서 <광해>(2012)에서 <걷기왕>(2016)에서 <널 기다리며>(2016)에서 뛰어난 존재감으로 인정받은 연기를 보여주었다. 지금은 일본에서 더 활발히 배우로 활동하는듯 한데, 다시 한국에서 좋은 영화로 만나 봤으면 한다.

황동혁 감독은 < 도가니>(2011)에서 사회 고발적인 영화로 '도가니법'을 제정하게 만들었으며, 영화 <남한산성>(2017)에서는 묵직한 사극 영화를 연출했다. 감독으로서 스펙트럼이 상당히 넓은 감독 같다.

<수상한 그녀>는 타임슬립하여 사람들로 하여금 <수상한 그녀>로 오해를 받지만, 실제 <수상한 그녀>가 주인공인 영화가 있다. <그녀를 믿지 마세요>에선 <수상한 그녀>인 배우 '김하늘'이 화려한 말 빨과 엄청난 눈치 빨로 어리숙한 '강동원'을 농락한다. 그녀의 사기는 너무 사랑스럽고 귀엽다.

"어머 어머니."

-그녀를 맏지 마세요(김하늘)

#수상한 그녀 #나문희 #심은경 #2014년 황동혁 감독

81. 그녀를 믿지 마세요.

"아이고 기대가 되네"

배우 강동원의 영화 데뷔작인 <늑대의 유혹>(2004)에서 우산 아래 미소를 띤 만찢남 <강동원> 모습을 최초 영화 입뽕작인 줄로 알겠지만, <그녀를 믿지 마세요>로 성공적인 배우 데뷔시작을 알렸다. 밝은 조명 아래 환한 미소와 우수에 찬 눈동자로 등장하는 순간 왜 극장 안에서 환호

성을 지를 수밖에 없는가? 정치 영화인 <1987>(2017)에서 조차 그랬다.

영화 <그녀를 믿지 마세요>는 순박한 시골 청년 최희철(강동원)과 사기꾼보다 더 사기꾼 같은 얼굴 표정을 짓고 옥구슬 굴러가는 화려한 언변으로 가석방 심사마저 눈물 도가니로 만든 주영주(김하늘)의 애정 행각 사기극이다.

영화를 보는 내내 국민 연극 '라이어 라이어'가 떠 오른다. 거짓말을 하면 할수록 더 깊은 구렁텅이에 빠져 헤어 나오지 못하지만, 사기꾼 주영주 그녀의 행동이 밉지 않은 까닭은 뭘까? 순간적으로 보고 귀동냥으로 들은 잡다한 동네 아주머니 얘기들로 순간순간 위기 모면하는 모습에서 사기꾼의 자질은 타고 나나보다 싶다.

"천장에 그려진 용의 다리가 몇 개냐?"

생뚱맞지만, 영화 <임금님의 사건수첩>(2016)의 윤이서(안재홍)가 한번 본 것은 다 기억하는 것도 조선시대의 타고난 사기꾼 자질인가 갑자기 떠오른다.

"내가 왜 몸이 본능적으로 움직이지"

<오케이 마담>(2019)의 엄정화는 성형수술도 하고 정체를 숨기고 산다. 그녀를 믿으면 안 되는 거 아닌가? 너무 멀리 갔나?

<캐치 미 이프 유 캔(Catch me if you can)>(2002)에선 '디카프리오'가 화려한 몸짓과 언변으로 사기를 치면서 FBI를 농락한다. 사기꾼의 최고봉 영화 아닐까? 물론 그 반대의 영화도 있다.

하늘의 계시로 인해 절대 거짓말을 못 하는 상황이 생긴 영화도 있다. 사기꾼들의 화려한 언변은 하늘의 계시가 필요 없는 천성인데 반해 <정직>은 신으로부터 능력을 부여받아야 하니 그만큼 어렵다는 말이다. 바로 영화 <정직한 후보1,2>(2019)에서 라미란이 그렇고, <라이어 라이어>(1997)에서 짐캐리가 그렇다.

<그녀를 믿지 마세요>에선 마치 자기 옷을 딱 입은 것 같은 '김하늘' 연기가 너무 귀엽다. 이런 사기꾼이라면, 대한민국 모든 남성은 모두 훅 넘어갈 것 같다.

배형준 감독이 연출했다. <그녀를 믿지 마세요>에선 김하늘이 화려한 말 기술로 사기를 쳤지만, 불

량 고등학생 '권상우'를 가르치는 순진 순박한 과외교사로 나오는 <동갑내기 과외하기>에서는 어설픈 과외 여선생을 볼 수 있다. 영화는 몰라도 아마 명대사는 알 것이다.

"난 선생이고, 넌 학생이야."

-동갑내기 과외하기 中

#그녀를 믿지 마세요 #강동원 #김하늘 #2004년 배형준 감독

82. 동갑내기 과외하기

"야 똑바로 앉아. 담배 <u>끄고</u>"

대한민국에서 사교육은 영원한 숙제다. 공부를 잘
하거나 못 하거나 집이 부자거나 가난하거나 형편
에 따라 다르지만 거의 모든 가정에서 학원을 다
니거나 개인 과외를 받는다.

<동갑내기 과외하기>에서 수완(김하늘) 선생은 고
액 과외를 가르쳐야 하고, 지훈(권상우) 학생은 아
버지의 강제로 수업을 해야 한다. 단 3개월만 가

르치면 되고, 하루 2시간만 그 녀석을 붙잡아두면 되는 과외다. 그녀는 아버지가 실직하고, 어머니가 힘든 자영업인 치킨집을 하게 되면서 생활 형편이 너무 어려워져 스스로 학비를 벌어야 하는 상황이다. 지훈(권상우)은 소리가 멋진 듀퐁 라이터로 담배를 꼬라 무는 나이는 성인인 고등 불량 학생이다. 대학생과 같은 동갑내기 고등학생 둘은 어떤 과외수업을 진행하게 될지 궁금하지 않으신가?

영화 <늑대의 유혹>(2004)처럼 고등학생들의 이탈과 폭력을 다루지만 잔인하지는 않다. 맞상대 폭력배로 <응답하라 시리즈>에 쓰레기 '정우'가 출연한다. 오직 대학 학비 마련이 목적인 '수완'과 공부에는 완벽히 담을 쌓은 '지훈'은 아버지의 무서움에 강제로 억지 과외를 받지만 우여곡절 잡다한 사연들로 둘이 쿵짝쿵짝 거린다. 20대 청춘 남녀가 만나면 어쨌든 연인으로 급발전할 이유가 다분하다. 둘도 결국 그렇다. 실연당한 '수완'과 '지훈'은 연인으로 서서히 발전해 간다.

"야 너 왜 수완이를 찬 거야."
"저는 천주교 신부 될 사람이에요"

이 영화는 남녀청춘 로맨스 영화로 밝고 경쾌하다. 20대의 사랑은 조건 없는 사랑이기에 보는 사람도 즐겁다. 그냥 내 마음이 가는 대로 서로에게 끌릴 뿐이다. 청춘 로맨스 영화로 코믹의 제왕은 뭐니 뭐니해도 <엽기적인 그녀>(2001)다.
'전지현'과 '차태현'이 대학생 커플로 출연해 좌충우돌 청춘 로맨스 영화다.

"견우야 잘 지내지"
"운명이란 말이야. 노력하는 사람 앞에는 우연이라는 다리를 놓아줘."

<엽기적인 그녀>를 보면서 헤어질 사람은 결국 헤어지고 만날 사람은 운명처럼 만나게 된다는 사랑에 대한 환상을 심어주었다.
오래전 <미미와 철수의 청춘스케치>(1987)란 '박중훈'과 故 '강수연' 주연의 청춘 영화의 한 획을 그은 영화도 있으니 볼 기회가 된다면 꼭 챙겨보기를 바란다. 청춘은 현재와 과거에 상관없이 항상 공통된 고민거리를 가진다.

김경형 감독이 연출한 작품이고 그는 주로 단편 영화를 많이 찍는 듯하다. '권상우'가 이 영화에선 싸움 짱 일진으로 나오지만, '옥상으로 따라 와'의 레전드 명대사를 남긴 <말죽거리 잔혹사>에서는 조금 비겁한 녀석으로 나온다.

유하 감독 거리 시리즈 1편인 <말죽거리 잔혹사>를 보자. 1978년도 고등학교는 그랬다. 모든 출연 배우들이 리즈시절 모습이다. '한가인'은 특히나 그렇다.

"정신일도 하사불성(精神一到何事不成)"

-말죽거리 잔혹사 中

#동갑내기 과외하기 #권상우 #김하늘 #2003년 김경형 감독

83. 말죽거리 잔혹사

"옥상으로 따라와."

그동안 말없이 지내 온 현수(권상우)는 마침내 선도부 종현(이종혁)을 옥상에서 한판 붙자고 큰소리쳤다. 마치 영화 <친구>에서 동수(장동건)가 준석(유오성)이를 부른 느낌이랄까? 2인자였던 동수는 준석이 말에 한마디 반항도 못 했지만, <말죽거리 잔혹사>에서 현수는 더 이상 참을 수 없었다. 조금 비겁하지만, 옥상 올라가는 계단에서 종현의 뒤통수를 쌍절곤으로 힘껏 내리쳤다.

1960년대 고등학교 학창 시절 할아버지 세대의

이야기다. 그 시절은 정치, 사회 대한민국 어디든 폭력적인 사회였다. 군사독재 정권 시대 고등학교 불량 셔클은 마치 그들이 독재자 인냥 오직 주먹으로 학교를 지배했다. 동물의 왕국처럼 철저한 약육강식의 세계다. 학교인지 군대인지조차 헷갈린다.

이문열 작가 소설 원작 동명 영화인 <우리들의 일그러진 영웅>(1992)에선 '엄석대'(홍경인)가 그런 존재를 과시한다.

이소룡의 손발 동작을 흉내 내면서 쌍절곤을 휘두르던 '권상우'의 말 근육 왕(王)자 몸은 <말죽거리 잔혹사>에서 최고의 리즈시절을 뽑낸다. 지금도 근육질 몸매는 우리나라 남자 배우 중에는 최고로 손꼽힌다. 나이가 들어도 꾸준히 지속적으로 관리하는 것은 자기 자신과의 극복이고 부단한 대단한 고통스런 싸움을 벌여야 하는 힘든 여정이다.

몸짱 배우의 계보로는 <별은 내 가슴에>(1997) 차인표가 원조다. <미안하다 사랑한다>(2004) 소지섭도 있긴 하다. <선생 김봉두>(2003) 차승원도 있다. 좀 많이 있긴 하구나.

영화<말죽거리 잔혹사>에선 옥상 액션씬도 유명하지만, 떡볶이집 아줌마로 출연한 <김부선>의 존재감이 최고다. 아직도 SNL코리아에서 안영미가 패러디할 정도이니 말이다. 과거 학교 앞 분식집에 실제 저런 이모가 있었다. 물 떡볶이를 접시에 담아주면서 몸을 숙여 슬쩍 가슴골을 노출하고는 했다. 서로 다른 기억일지도 모를 일지만, 사춘기 학생의 시각은 그렇다. 많은 분식집중에서 그 집에는 항상 남학생들이 넘쳤다.

이 영화는 유하 감독 거리 시리즈 중 첫 번째 영화다. <말죽거리 잔혹사>는 명대사와 레전드 장면이 넘쳐난다. 거리 시리즈 2편인 <비열한 거리>에서는 정말 비열한 놈들이 넘쳐난다.

배우 권상우는 주로 액션 영화는 많이 출연했다. 영화 <히트맨>(2019)에서 웹툰 작가로 나와 액션을 선보였고, <탐정>(2015)에선 코믹한 형사물을 선보였으며, 최근 가족의 소중함을 일깨운 <스위치>(2023)란 영화에도 출연했다. 그중에서 <통증>이란 멜로영화에서 육체적인 고통을 느끼지 못하는 사람으로 출연해 많은 사람을 울렸다.

"이 자식 정신 좀 차려야 되요."

-통증 中

#말죽거리 잔혹사 #권상우 #이정진 #2004년 유하 감독

84. 통증

"난 하나도 안 아픈데, 아픈데 없는데요."

두 주인공 남순(권상우)와 동현(정려원)은 서로 사
랑하는 사이다. 남순은 육체적 고통을 느끼지 못
하는 병을 가졌고, 동현은 혈우병을 가지고 있어
둘은 동병상련(同病相憐)의 마음이 있다. 통증을
느끼지 못하기에 사람들에게 각목으로 스스로 자
해 공갈 협박을 하면서 생계를 유지하는 남순에게

동현은 이제 그런 험한 일은 제발 하지 말라고 간청한다. 남순 선배역인 마동석은 악역임에도 다그런 이유가 있게 보이는 능력이 있다. 자해 공갈 협박단임에도 선량하게 보이기까지 한다. 하지만, 남순은 사랑하는 동현의 말을 따르기로 결심하지만, 동현의 혈우병 약값을 구하기 위해 마지막으로 재개발 지역에서 일을 하게 되는데 하필 그 모습을 지켜보게 되는 동현은 마음이 너무 아프다. 남순은 결국..

아픈 사람들끼리의 사랑을 다룬 영화이지만, 사실이 영화는 몸이 아픈 것보다 마음이 더 중요하다는 의미를 깨닫게 해준다. 육체가 아픈 것이 중요한 것이 아니라 내 마음이 아픈 것이 더 중요한 것이다.

어릴 적 가족을 모두 교통사고로 잃은 이후 신체적인 고통을 못 느끼게 된 남순이지만, 이제 그는 동현을 만나 육체의 <통증>이 마음의 <통증>으로 옮아갔다. 사랑하는 사람이 생긴 순간에 그동안 느끼지 못했던 <통증>이 무엇인지 알게 되었다. 사랑하는 사람을 위해 무엇을 해 줄 수 없다는 통증.

"나 안 아파."

이 영화 <통증>은 만화가 '강풀' 원작이 있다. 원

작이 만화이기에 설정 자체가 만화적이긴 하다. 우리는 살면서 신체는 멀쩡하나, 정신상태가 정상이 아닌 사람을 볼 때가 있다. 육체적인 장애우를 안타깝게 생각할 것이 아니라, 자신의 정신적인 장애를 더 걱정해야 하는 사람이 되고 싶다. 현대인에게 던지는 <통증>의 의미를 되새기게 한다.

영화 <통증>은 비록 육체적으로 병든 청춘남녀가 만났지만, 정신은 세상 사람 누구 못지않게 멀쩡한 사랑 이야기다. 만화를 원작으로 한 탓에 현실감은 조금 떨어진다는 느낌은 있다. 과연 저런 사람이 존재할까 하는 의심이 든다. 또한 왜 하필 저 둘이 사랑하는 연인이 되었을까 하는 의심도 든다. 물론 만화적인 상상력이 낳은 로맨스 순정 멜로영화다.

사랑밖에 모르는 사람들을 그린 영화는 어떤 것이 있을까? 순수한 노총각이 사랑에 빠지는 영화로 '황정민', '전도연' 주연 <너는 내 운명>(2005)이란 영화가 있다. 농촌 총각과 다방 레지가 그리는 러브스토리에 가슴 절절한 감동을 주는 이유는 도시 사랑이 그만큼 물질만능주의로 삭막하기 때문일 것이다. 또한 이 영화가 2002년 여수 에이즈 사건을 모티브로 해서 더 화제가 되고 감동적이다. 또 다른 영화로는 사채업자 '황정민'과 채무자 '한혜진'이 그리는 <남자가 사랑할 때>(2014)란 로맨스 영화도 있다. 남자가 일생에 단 한 번 사랑에 눈이 먼다면 아무리 그가 사채업자라도 무기력해진다. 첫눈에 반한 사랑을 그린다.

사랑을 다루는 영화들은 왠지 어디선가 있을 법한 듯 없을 법한 듯한 소재를 지니고 있다. 사랑이 다 비슷한 이유다.

곽경택 감독은 사랑 이야기에도 소질이 있나 보다. 자전적인 첫사랑 이야기인 주진모 주연 영화 <사랑>(2007)도 연출했다.

육체적인 통증은 문제도 아니다. 둘 다 아름다운 배우 정우성과 손예진이 만나 아름다운 사랑을 시작하려는 찰나 알츠하이머병이 시작되었다. 아직도 명대사로 유명한 영화 <내 머릿속의 지우개>를 보자. 이것은 육체적인 통증인가 마음의 통증인가.

"다 잊어버리면, 내가 짠하고 다시 나타나 다시 시작하는 거야."

-내 머릿속의 지우개 中

#통증 #권상우 #정려원 #2011년 곽경택 감독

85. 내 머리속의 지우개

"이거 마시면 우리 사귀는 거다."

2016년 제37회 청룡영화제에서 가수 '마마무'가 이 대사를 패러디해서 화제가 되었다.
정우성(최철수)과 손예진(김수진)이 만나 아름다운 러브스토리를 만들었다. 실제 '손예진'은 '현빈'하고 결혼했지만, 사랑하는 사람이 알츠하이머병에 걸린다면, 또한 점차 기억을 잃어간다면 어떻게

해야 되는 거지? 우리가 그동안 나누었던 아름다운 추억들을 한순간도 기억하지 못하고, 심지어 한때 사랑했던 불륜남인 유부남을 찾아가기도 한다. 심지어 당신 얼굴을 보며 그 놈의 이름을 부른다면 정말 가슴 아픈 일이다.

이 영화는 일본 드라마 <퓨어 소울:네가 나를 잊어도(Pure Soul~君が僕を忘れても)>가 원작인 영화다. '봉준호 감독<기생충>(2019)이 일본에서 상영되기 전까지 한국 영화 중 일본에서 최고 관객수를 동원했다고 한다. 일본 드라마가 원작이었지만, 이 영화를 다시 일본에서 리메이크 되었다고 하니, 확실히 일본인 취향 영화이긴 한가 보다.

건축 노가다 일을 하는 철수는 건설회사 사장 딸인 예진을 집안 반대를 무릅쓰고 사랑하게 된다. 드디어 결혼하고 행복하고 아름다운 사랑에 빠질 무렵 그녀가 알츠하이머병에 걸린 것을 알게 된다. 젊은 여성인 예진이 바지에 소변을 지리기도 하는 현실적인 장면이 더 가슴 저리게 만든다.
당시 알츠하이머가 나이 든 노인에게만 걸리는 병으로 알았던 나로서는 큰 충격이었다.
정우성과 손예진 미남 미녀 배우를 보는 재미와 더불어 앞서 언급한 명대사로 인해 <내 머리속의

지우개>는 영원한 레전드 멜로 영화로 남게 되었다. 특히 영화 마지막 장면에서 그녀의 지인들이 총출동하여, 사랑하는 사람을 처음 만나게 된 편의점 콜라 장면을 재연하면서 기억을 되찾도록 노력하는 모습과 '손예진'의 기억이 날듯 말 듯한 표정과 눈망울은 내 가슴을 적시게 했다.

기억을 잃은 듯 아닌 듯 두 남녀가 지프차를 타고 고속도로로 멀리 떠나가 버리면서 영화는 마무리된다. 완벽한 열린 결말이다.

사랑하는 사람에 대한 기억과 함께한 추억이 사라진다는 것은 두 사람 모두에게 큰 아픔이고 불행이다. 철학자 니체는 인간의 행복 조건으로 <망각>을 뽑았지만, 사랑하는 사람에 대한 아름다운 추억은 모두 간직하고 싶다. 상대방을 그냥 있는 그대로 인정하고 자연의 섭리에 따르자. 중국 철학자 '순자'의 말이 생각나는 영화다.

이재한 감독은 <포화속으로>(2010), <인천상륙작전>(2016)을 연출했다.

이병헌과 이은주 주연 <번지점프를 하다>는 환생을 다루고 있다. 사랑하는 사람이 갑자기 사라졌지만, 다시 누군가로 태어났다면 그를 알아볼 수 있을까? 내가 알아본다고 해도 그가 나를 알아볼까? 다음 생애에 다시 만나고픈 사랑은 어떤 사랑일까?

"죄송하지만, 저기 버스 정류장까지 좀 태워주시겠어요?"

-번지점프를 하다 中

#내 머릿속의 지우개 #정우성# 손예진 #2004년 이재한 감독

86. 번지점프를 하다.

"너 누구냐? 너 도대체 누구냐고?"

옷깃만 스쳐도 인연이라고 불교에서는 이야기하지만, 전생 인연을 이번 생애 다시 만날 확률은 얼마나 될까? 우리가 이렇게 수많은 사람 중에 연인으로 만났다. 당신은 과연 인연이 존재한다고 믿으시는가?

세상을 살면서 우연한 만남이 있기나 할까? 아니면, 전생 인연이 무슨 연유로 이승에서도 연결되는 것인가?

이 영화를 보면, 첫사랑에 대한 강력한 추억이 떠오른다. 미쓰에이 '수지'도 <건축학 개론>(2012)으로 국민 첫사랑이 되었다.

영화 <번지점프를 하다>에서 헤어진 첫사랑 그녀와 똑같은 행동을 하는 마치 다시 환생한 것처럼 행동하는 누군가를 보게 된다면 얼마나 가슴 두근거릴까? 수십 년이 지나 그 사람과 똑같은 행동을 하는 사람을 만나게 된다면 말이다.

가령 비 오는 날 우산 속으로 뛰어 들어오는 첫만남과 항상 새끼손가락을 들고, 물건을 집는 무의식적인 습관 말이다.

대학생 인우(이병헌)과 태희(이은주)는 MT 가서 '쇼스타코비치의 왈츠'를 추면서 결국 사랑하는 사이로 발전하게 되었다.

"왜 숟가락은 'ㄷ' 받침이고 젓가락은 'ㅅ' 받침이야?"

나도 사실 이 영화처럼 가장 친한 친구를 비 오는 날 우산을 매개체로 만났다. 비 오는 날 우산 없이 버스 정류장으로 걷던 그에게 먼저 말을 걸었다.

"여기 우산 같이 쓰고 갑시다."

우린 같은 학과임을 알게 되었고, 이후 제일 친한 친구로 발전하게 되었다. 90학번으로 대학 생활을 시작했으니, 이 영화보다 최소한 10년은 먼저 행동한 셈이다. 대신 내 우산 친구는 남자인 동성 친구다.

첫사랑과 인연, 환생 이런 것들은 어쩌면 일본 영화에서 자주 사용되는 소재다. 그러고 보니, 영화 제목도 한국 영화 같지 않게 일본 영화처럼 제목도 길다.

사람의 인연은 인위적으로 어떻게 할 수 없는 것일까? 문득 천의 얼굴을 가진 배우 '짐캐리'의 <이터널션샤인(Eternal Sunshine of the Spotless Mind, 2005>이 더 생각나는 영화이기도 하다. SF 로맨스 영화다.

김대승 감독은 <혈의 누>(2005), <후궁>(2012), <조선 미술사>(2015)를 연출했다.

'이병헌'의 연기가 너무 좋다. 목소리가 너무 좋다. 영화 <번지점프를 하다>에서 안타까운 첫사랑과 환생을 그렸다면, 그보다 더 마음 아픈 사랑을 그린 영화 <그해 여름>을 보자. 이번 이별에는 어떤 이유가 존재할까? 힌트는 80년대의 정치적인 폭압이 난무한 시대란 사실이다.

"왜 자꾸 따라오세요."

-그해 여름 中

#번지점프를 하다. #이병헌 #이은주 #환생 #2000년 김대승 감독

87. 그해 여름

"너 이 여자 몰라?"

80년대다. 군사독재 시절이었다. 한국 영화에서 1980년대를 소재로 한 많은 영화 중에서 정치적인 이유로 남녀 간의 이별을 다룬 영화가 있었나 싶다.

<그해 여름>은 순수한 대학 신입생 청년과 시골 마을 도서관 사서로 일하는 20대 여성이 만나 슬픈 동화 같은 아름다운 사랑 이야기다. 슬픈 사연

이 남겨지게 된 이유가 시대적 정치라니 전두환 때문이라니 아! 그놈은 정말 잊으래야 잊을 수가 없다. 두 사람은 서로 쳐다보는 눈빛을 보면서 나도 저런 시절이 분명 있었지 기억을 더듬어 본다. 하지만, 이 두 사람은 아낌없이 조건 없는 순수한 사랑을 시작하기도 전에 경찰 조사실 골방에서 책상을 마주 대하고 두려움에 떨게 된다. 사랑하는 여자를 위해서라기보다 자신 앞날을 위해 내가 차마 해선 안될 용기 없는 비겁한 행동을 하고 말았다. 마치 가수 이문세 '사랑이 지나가면'의 가사가 떠오른다.

'그 사람 나를 보아도
 나는 그 사람을 모릅니다. '

결국 스스로 자책감을 이기지 못하고 일평생 노총각으로 마음 한편에 미안함을 간직한 채 한 여자에 대한 사랑과 안타까움에 가슴앓이를 하면서 살게 된다.

주인공 윤석영은 대학교수로 은퇴 후 이제 수십 년 세월이 흘러 흘러 병마저 들어 남은 삶이 얼마인지 가름조차 되지 않는다. 너무 늦었지만, 이제라도 더 늦기 전 단 한가지 소원이 있다면 그 사람 얼굴이 보고 싶다. 정인이 얼굴을 한 번이라도 꼭 보고 싶다. 잘 살고 있는지 보고 싶다.

아름다운 푸른 시골 마을풍경을 배경을 펼쳐지는 시대의 아픔을 담은 청춘 로맨스 영화인 <그래 여름>은 정말 이병헌과 수애의 20대 리즈시절을 담고 있어서 몰입감이 최고다.

영화 <그해 여름>은 대학생 윤석영(이병헌)과 시골 처녀 서정인(수애)이 주인공이다. 80년대 대학생들은 시골로 <농활>이라는 명목으로 봉사활동을 다녔다. 대학생 여름 농활 기간에 석영과 시골 도서관 사서인 수애와의 운명적인 만남을 이루어진다. 석영은 선배와 동기에 이끌려 마음에도 없는 봉사활동을 왔지만 정인을 보는 순간 첫 눈에 반하고 말았다.

40년 흐른 뒤인가 창밖을 보면서 한없이 회상에 잠겨있는 노교수. 퇴임을 목전에 둔 대학 교수로 불치병마저 걸려 이제 살아갈 날이 얼마 남지 않았다.

"교수님 찾고 싶은 사람 있으세요?"

오직 방송만이 목적인 과거 제자였던 방송작가가 노교수의 소원을 들어주는 척 언론 노출을 꺼리는 그를 유혹하는 말을 건넨다.

소설 <소나기>를 연상케 하는 둘의 첫사랑은 미쳐

시작도 하지 못한 채 강제 이별을 당하고 말았는데, 사실 정인은 빨갱이 부모를 둔 죄로 인해 마을 사람들에게도 따돌림과 서러움을 당하면서 살아왔다. 이런 트라우마를 가진 그녀였는데 사랑하는 석영에게서도 같은 이유로 배신을 당했으니, 그 마음 오죽했을까? 결국 그녀는 깊은 한을 품은 채 그곳에서 평생 혼자서 살았다.

수십 년이 흘러 방송작가와 함께 다시 찾아간 그곳은 모든 사물들은 그 당시 그대로였다. 그녀도 그대로 일까? 그녀는 과연 어떻게 살고 있을까? 잘 지내고 있을까? 나처럼 많이 늙었을까? 그녀는 과연 어떤 모습일까? 첫사랑과의 비겁한 이별은 택한 석영은 삶을 <후회의 한>만들고 말았다.

우리 모두에게 <첫사랑>이란 무엇일까? 독재정권 하에서 선택을 강요당했다는 것도 어쩌면 비겁한 변명, 핑계다. 누구나 첫사랑과의 이별에 이유는 있다. 나도 있고, 너도 있다. 난 사랑하기에 헤어졌다고 기억한다.

주인공 석영도 평생 후회하면서 독신으로 살아왔고, 막상 세월이 너무 많이 흐른 지금 때늦은 후회를 하면서도, 그녀를 보면 너무나 반가울 상상을 하면서 한달음에 달려갔다. 학교도 무엇도 모든 것도 그대로이다. 수십 년 세월에도 무심히 덩그러니 남은 운동장 구석 버드나무 한그루.

'이미 그곳에는 넌 있지 않은 걸.'

<내 마음 깊은 곳의 너> 마왕 신해철 노래다.

한국 영화들이 그렇게 첫사랑 이별을 이야기한다.
사람들에게 사랑과 이별, 그리고 그리움 도대체
그것은 무엇일까?

조근식 감독 전작이 <품행제로>(2002)인 것은 놀
랍다. 맥락이 전혀 다르기에.

배우 '수애'는 너무 사랑스럽다. 그녀가 출연한 첫
사랑 이야기들은 슬픈 사연들이 가득하다. 여기
또 다른 영화 베트남까지 따라나선 그녀의 남편
상봉 작전인 영화 <님은 먼곳에>가 있다. '수애'의
매력에 다시 한번 더 빠져보자.

"남편이 월남에 참전했어요."
-님은 먼곳에 中

#그해 여름 #이병헌 #수애 #2006년 조근식 감독

88. 님은 먼곳에

"영창 갈래 월남 갈래"

결혼하자마자 남편을 군대 보내게 된 '순이'(수애).
시어머니는 '순이'에게 얼른 손자를 가져라고 군대
에 면회를 보낸다. 하지만, 사랑 없는 남편은 아

예 이역만리(異域萬里) 타향 '월남'으로 가고 만다. 그렇다면, 나도 이제 월남으로 가야 한다. 시어머니의 명령이다. 상길(엄태웅)은 군대에서 사고 치고 선택의 갈림길에 선다. 영창 대신 전쟁 중인 월남을 간다고? 설정이 좀 이해가 안 되지만, 어쨌든 월남전을 배경으로 한 사랑 이야기가 펼쳐진다. 하지만 사랑 이야기라고 하기에는 좀 편파적이고 가부장적이다.

70년대 대한민국의 현실이다. 가부장적인 남편과 시어머니에게 아무것도 할 수 없는 여성의 삶. 그 시대 천상 현모양처 상인 그녀는 남편을 만나기 위해 무슨 수단을 동원해서든 월남으로 가야 한다. 결국 그녀는 수줍은 성격을 뒤로 하고 노출 무대 공연 마저 소화해야만 위문공연단으로 참가할 수 있다. 때마침 월남으로 갈 기회를 잡는다. 군대 행사 무대에 점차 적응을 하고 점차 그녀의 삶이 변화하기 시작한다.

"사랑한다고 말할 걸 그랬지."

사랑한다면, 바로 지금 말하자. 남편이 월남에 안 갔을 수도, 내가 목숨을 건 이곳에 오지 않았을지도 모른다. 그때 군대 면회 갔을 때 분명 남편은 내게 물었다.

"너 내 사랑하나?"

왜 그때 아무 대답을 안 했을까? 아니 못 했을까? 그냥 사랑한다고 말할걸.

제목처럼 <님은 먼곳에> 월남에 있다. 지금은 최고 여행지가 된 베트남 호이안에 그가 파병되었다. 건장한 남자도 생활하기 힘든 그곳에서 혈혈단신 나 홀로 무작정 남편을 찾기 위해 일단 그곳으로 향했다. 위문공연단 포스터를 보고, 아무것도 할 줄 모르는 내가 지원했다. 이제 월남에서 남편을 만날수 있을 것인가?

순정이라고 해야 하나? 이런 사연이 현실에서 존재할 수나 있을까? 베트남 전쟁터는 사랑놀음 할 만큼 한가로운 곳이 아니다. 살고 죽는 전쟁터이다. 과연 그녀는 무사히 남편을 만날 수 있을 것인가?

사람은 어떤 곳에서도 적응한다. 사랑한다고 말도 못 하던 그녀가 이제는 미군들 앞에서 '프로 가수'가 되었다. 과감한 노출 춤과 무대 매너로 최고의 인기 가수가 되었다. 이제 당신만 만나면 된다. 이 영화를 보면서 <82년생 김지영>(2019)이 떠오른다. 대한민국 여성으로서 삶은 현재도 과거에도 쉽지 않다.

이준익 감독은 사극 영화에 특별하다. 사극에 특화된 감독이라서 그런가 여성을 보는 시각이 조금 가부장적이 아닌가 싶다.

배우 '정진영'은 이후 이준익 감독과 다시 재회하여 광대놀음을 한다. 그 영화는 바로 <왕의 남자>다. 웰 메이드 사극 영화다.

"나 여기 있고, 너 거기 있지."

-왕의 남자 中

#님은 먼곳에 #수애 #정진영 #엄태웅 #2008년 이준익 감독

89. 왕의 남자

"이놈 무엄하다."

남사당패 광대 공길이(이준기)와 장생(감우성)은
저작 거리에서 양반사회의 위선을 풍자하면서 생
계를 유지하는 해학적인 풍물 패거리다. 조선시대
폭군이었던 연산군도 풍류과 오락거리인 광대 짓
에는 관대했다. 남사당패는 개성 시장바닥에서 공
연을 마친 후 고위 양반댁의 성희롱 감에 반항하

여 사고를 친다. 이후 한양으로 도피하게 된다. 한양은 개성보다 훨씬 큰 시장이 있었고 그 곳 투전판에서 육갑(유해진)을 만나게 된다. 조동이만 타짜로 나와 가진 돈 전부를 잃고선 어쩔 수 없이 장생파와 같이 풍물 공연판을 벌여 돈을 벌기로 한다. 평소 하던 것처럼 해서는 큰 돈을 벌 수 없기에 더 많은 구경꾼을 모으기 위해 <왕실>을 풍자하기로 한다. 그렇게 왕과 왕비를 풍자하면서 크게 인기를 끌게 된다.

"왕이 보고도 웃으면, 희롱이 아니잖소."

왕실을 농락한 죄로 의정부에 끌려가 죽을 고비에서 그럼 왕 앞에서 광대놀음을 해보라는 기회를 얻었다. 그들에게 닥친 최고의 시련이기에 목숨을 잃을 각오로 연산군 앞에서 <왕>을 갖고 놀아야 한다. 빠짝 긴장한 패거리들은 목소리가 후들후들 떨리고 장구 박자가 손 떨리는 간격으로 광대놀음을 망쳐버리고 말았다.
연산군(정진영)와 애첩 녹수(강성연)가 웃음기 하나 없이 째려보고 있다. 누가 봐도 목숨이 날아갈 처지다. 이때 갑자기 들리는 목소리

"아래 입을 채워 주랴, 윗입을 채워주랴."

다시 시작된 <성적인 풍자>다. 이래도 연산군이 웃지 않으면, 이제 이들은 하늘나라로 갈듯하다. 배우 <이준기>는 여자보다 더 예쁜 남장으로 데뷔하게 되었다. <왕의 남자>를 통해 본 스크린에서의 '이준기' 모습은 누가 봐도 여성이다. 배우 든 누구든 첫 이미지가 주는 강렬한 모습은 잊히기 어렵다. 지금까지도 <이준기>는 아름다운 남자로 각인되어 있다.

이준익 감독은 사극 영화 연출에선 타의 추종을 불허한다. 영화 <왕의 남자>는 그 시작이었다. 아직 이 영화를 보지 못한 분은 반드시 보시길 바란다. 아름다운 남자라면 당연히 생각나는 배우가 '강동원' 아닐까? 그가 입가에 미소를 머금은 채 우산 속에서 등장한 씬은 수없이 패러디되기도 했다. 영화 <늑대의 유혹>은 안 봤을지라도 우산 속 강동원 미소를 기억할 것이다.

"운전 조심해"
"지금 나한테 사귀자는 거냐"

- 늑대의 유혹 中

#왕의 남자 #정진영 #감우성 #이준기 #2005 이준익 감독

90. 늑대의 유혹

"누나 나 모르겠어?"

2004년 인터넷 소설 일명 <웹 소설>이 싹을 피우기 직전이었다. 아직 싸이월드(cyworld) 감성이 지배하고 넘쳐나던 시대다. 오락프로 X맨에서 유재석과 강호동이 한 창 오픈 춤을 추던 시대다. 당시 인터넷 소설 작가 <귀여니>가 혜성같이 등장했다. 10대들의 한글 파괴 감성을 최초로 실현한 그녀는 본명<이윤세>작가다. <그놈은 멋있었다.>(2004), <늑대의 유혹>, <도레미파솔라시도>(2007)가 베스트셀러 진열대에 당당히 올랐고 중국에까지 이름을 날렸다. 인터넷 소설 원작 <늑대의 유혹>은 성인 취향으로는 어색할지라도 당시 10대 감성 연애 스토리 취향을 완전 저격했다. 아직도 대한민국 영화 3대 등장씬에 반드시 포함되는 전설적인 '강동원 우산 등장씬'이 바로 이 영화다.

만화보다 더 만화 같은 비주얼을 가진 강동원을 본격적으로 알린 영화로 주인공은 한경(이청아), 태성(강동원), 해원(조한선) 세 명의 고등학생이다. 2004년도 작품이기에 주인공 외모가 그들의 리즈 시절들이다.

'강동원'만 변함없는 외모로 방부제 본태 미남 으로 그때나 지금이나 변함없다. 청순한 소녀 한경은 두 남자로부터 사랑을 동시에 받는다. 일본 청소년 멜로 영화처럼 오글거리는 대사가 난무한다. 서로 사랑하지만 마음에도 없이 양보도 하고 서로 오해하기도 하면서 청소년기 성숙해지고 성장해간다. 한국 영화의 구태인 막장 설정이 등장한다. 바로 태성과 한경은 이복자매간이었다. 그녀를 사랑하게 된 태성이 안타까워하면서 소녀 감성을 자극한다. 막장은 다시 등장한다. 강동원이 불치병인 심장병이 걸려 비극적인 운명을 예고한다.

여고생들의 감성을 끝까지 자극한 <늑대의 유혹>은 지금 봐도 오글거리는 장면을 참는다면 재미

있다. 고등학생들의 러브스토리다.

"이 눈으로 꼭 한경 누나를 보라고 했어요."

당시에는 이런 류의 드라마가 많이 방송되었다. <가을동화>(2000), <겨울연가>(2002)가 그랬다. 이루어질 수 없는 사랑과 이복형제자매는 막장 드라마의 빠지지 않는 훌륭한 소재다. 관객들은 그래도 순수하기에 눈물을 흘리면서 감동을 받는다. <늑대의 유혹>을 보고 소녀 감성에 감동 받았다면 인터넷 작가 필명 '귀여니' 첫 소설을 영화로 만든 <그놈이 멋있었다.>를 봐도 재미가 있을 수도 있다. 숯 검댕이 눈썹 '송승헌'의 리즈시절을 엿볼 수 있다. 배우 강동원은 어쩌면 아직도 리즈시절인 것 같다.

김태균 감독이 연출한 <늑대의 유혹> 감성은 너무 유치하지만, 아름답고 가슴을 울리는 청춘 로맨스물로 어린시절 사랑이 떠 올라져 좋다.

'강동원' 그의 최근작인 박찬욱 감독 <브로커>를 보자. 과거 '이청아'와 어울렸던 커플이 이제는 가수 겸 배우인 '아이유'와 잘 어울린다.

"저 혹시 뽀샵하셨어요. 사진하고 너무 다른데."

-브로커 中

#늑대의 유혹 #이청아 #강동원 #조한선 #2002년 김태균 감독

91. 브로커

"결국 내가 브로커인가?"

영화<브로커>로 2022년 칸영화제는 <송강호>에게 남우주연상을 안겼다. 대한민국 남자배우 중 이병헌 다음으로 최애하는 배우가 송강호다. 그가 출연한 영화는 단 한 편도 빠짐없이 다 챙겨보는 열혈 팬이다. <마약왕>(2018)에서 조금 실망하기도 했지만, 나름 재미있었다. 내가 그의 팬이 된 것은 <초록물고기>(1997)부터 시작하고, <넘버3>(1997)로 확실하게 굳혔다. '칸영화제'에서 수상은 이제야 세계적인 배우로 인정 받았구나 하는 자부심이 오른 계기가 되었다.

영화 <브로커>는 부산을 배경으로 했지만, 일본인 감독 <고레에다 히로카즈>가 연출했다. 대사와 스토리가 한국 정서와 조금 어긋난 점이 보이기도 하다. 평소 잔잔한 감동과 사회비판적인 메시지를 던져 깊은 울림을 주는 감독이기에 아마도 이번 영화도 그런 류의 한 장르이지 않을까 싶다. 그의 팬이면 잘 알 것이다. 이 영화가 개봉한 후 흥행에 실패하고 박스 순위권에서 멀어져가는 모습을 보면서 역시 평론가들이 극찬한 작품은 대중적이지 못하다는 것이 다시 반복되는가 싶다. 하여튼 '고레에다 히로카즈' 감독은 늘 가족 이야기를 다룬다.

조용한 극장에서 보기에는 편하다. 팝콘 소리도 없이 온전히 영화에 집중할 수 있어서 말이다. 관객이 적다는 의미다.

한국 영화에서 <베이비 박스>를 다룬 적이 있던가 기억에는 없다. '갓난아기'를 유괴한 유괴범과 부모가 공범이 될 수 있는가? 나로서는 줄거리는 따라가지만 크게 공감이 되지는 않았다. 너무 없을 법한 소재로 가족에 대한 주제를 다루지 않았나 싶다. 비평적으로 보자면 한국에서 이런 일이 실제 발생하지 않는다는 보장은 없지만, 이번 경우는 너무 나간 게 아닌가 싶다. 배경만 부산이지 전혀 부산을 살리지도 못한 영화였다. 그냥 일본에서 지리적으로 가까워서 부산에서 촬영한 느낌까지 들었다. 역시 '히로카즈'감독은 일본에서도 한국에서도 뭔가 불편하게 만드는 대단한 감독이다. 개인적으로 그의 최고작은 <어느 가족 (Shoplifters, 2018)>이라고 생각한다.

송강호 연기는 자연스럽고 생활 연기지만, 스토리가 자연스럽지도 매끄럽지도 못하다 보니 연기만 빛나는 결과를 내고 말았다. 특히 내가 공감하기 어려운 점은 아기의 엄마인 아이유보다 송강호가 더 아기를 사랑하는 듯이 표현하고 씻기고 하는 점이었다. 모정을 넘어서는 사랑을 본 적이 없다. 또한 고아원 장면에서는 어떻게 그렇게 아이들이 다 밝고 명랑한 지 아마 현실에서는 절대 그렇지 못할 것이다. 아이가 농담을 던질 정도로 여유가 넘치는 고아원 시설이 존재할까?

영화 <브로커>는 결국 인신매매 브로커를 잡으려고 했던 경찰이 <브로커>가 된 현실을 보여준다. 결국 인간은 다 같은 인간이다. 뭐 그런 건가? 경찰(배두나)이 인간적으로 갑자기 변화하는 모습이 정말 영화 같다. 아기가 귀엽지만, 아기를 위한다지만 무턱대고 키우는 게 가능이나 한가? 아기를 간절히 입양을 원하는 부부가 겨우 300만원에 흥정하는 것도 몰입이 힘들었다. 한마디로 말이 안 되는 영화다.

<칸영화제>에서 관객들의 10분 기립박수는 왜 그런 거지? 내가 영화 보는 관점이 아직도 수준 이하인가 보다. 앞으로 더 열심히 영화도 보고 생각도 하면서 평범한 일반인들이 보는 관점보다 높은 시야를 갖도록 해야겠다.

'고레에다 히로카즈' 감독은 <그렇게 아버지가 된다>(2013), <집으로 간다>(2015), <어느 가족>(2018), <공기인형>(2020)등등 가족의 소중함을 은유적으로 잘 표현하는 세계적인 감독이다.

<브로커>를 보면서, 역시 생활 연기 달인은 '송강호'다. 느끼기 시작한 분들은 <우아한 세계>를 통해 조폭 역할을 생활 연기로 보여주는 그를 만나보자.

"나한테 떡고물 좀 안 떨어지냐?"
                                    -우아한 세계 中

#브로커 #송강호 #강동원 #배두나 #2022년 고레에다 히로카즈

92. 우아한 세계

"너 나한테 이러면 안 되지?"

세상에는 평범한 아버지로 살아가는 대다수 중년
이 된 아저씨들이 있다. 그냥 가족을 위해 어떤
일도 마다하지 않고 되는 데로 살다 보니 내가 이
런 모양새를 하고 있다. 영화에서 중년 아버지 인
구(송강호)에게도 딸, 아들과 아내가 있다. 우리

이웃에 살고 있는 평범한 가정이고 구성원이다. 하지만, 그런 평범해 보이는 아버지 직업이 전국구 들깨파 조폭 조직 3인자다. 아무래도 이야기가 보통 가정과는 많이 다를 것이다.

고향 부랄 친구 지간으로 자갈치파 현수(오달수)는 인구와 반대파인 상대 조직 2인자이다. 대창건설 회장의 동생인 2인자 노상무(윤제문)과 경쟁 구도인 인구는 재건축 건물에 대한 이권으로

지속적으로 조직 내에서 다툼을 벌인다. 그냥 돈을 많이 벌어서 내 가족들 아내, 딸과 좋은 집에서 살고자 하는 다른 여느 아버지와 같은 꿈을 가진 대한민국 중년 아버지의 일상이다. 평소 집에서 자신은 라면을 끓여 먹을지언정, 딸을 위해서 검은색 봉투에 고기만두를 사 오고 옛날 아기 사진을 보면서 즐거워하는 모습을 보면서 나의 모습과 너무 닮아 가슴이 찡하기도 하다.

이렇게 가족을 위해서 내 모든 것을 희생했는데, 많은 중년 남성들이 이 영화에 열광하는 이유는 직업이 다를 뿐 가정에서의 존재감에 다 극렬한 공감을 하기 때문이다. 경제적인 능력이 없으면, 무능력한 가장으로 내몰린다. 이런 시팔 내가 누구 때문에 이렇게 살아왔는데...

교도소에 갇혀서도 가족들의 경제적인 어려움을 해결하기 위해 상대 조직에서 돈을 빌려 가정을

걱정한다. 하지만 그는 가족을 모두 캐나다로 보낸 기러기 아빠가 되어 혼자 쓸쓸히 빨래하고, 라면을 끓여 먹는다. 내가 없어도 캐나다에서 행복한 가족의 비디오를 보면서 말이다.

한재림 감독은 <연애의 목적>(2005), <관상>(2013), <더 킹>(2013)을 연출했고, 모두 내가 좋아하는 영화들이다. 물론 <비상선언>도 개인적으로는 재미있었다. 그의 영화를 보면 엎친데 겹치는 설정이 많다. 그럴 마음이 없는데, 자꾸 일이 꼬이는 것은 인간사가 원래 그렇다. 어디 계획대로 되는 것이 있던가?

배우 '송강호'의 첫 등장은 실제 양아치 깡패를 섭외했다고 오해를 불러일으킨 리얼한 연기를 했던 <초록물고기>(1997) 판수역으로 볼 수 있다. 막동(한석규)이와 지하 주차장에서 만나는 장면은 너무 생생해서 잊을 수가 없다.

"새끼 새끼 하지 마. 이 새끼야."

-초록물고기 中

#우아한 세계 #송강호 #오달수 #2007년 한재림 감독

93. 초록물고기

"형 끊지 마. 끊지 마."

막 군대를 제대하고 '무궁화호' 기차를 타고 고향
으로 내려가는 막동(한석규)이는 열차에서 여자를
괴롭히는 양아치를 보고는 불의를 참지 못한다.
기차에서 내려 양아치들에게 복수는 했으나, 막상
자신이 기차를 놓친다. 이 장면으로 영화는 모든
걸 대변한다

'인생이란 맘대로 안되는 것이다.'

서울 근교 도심 아파트가 바라다 보이는 주택인아직 재개발이 안 된 풍경들이 가득한 곳에서 온 가족이 오순도순 행복하게 살아간다. 가진 것은 없지만, 평범한 일상을 보내는 막둥이네 가족이다. 막둥이는 형과 함께한 불법 노점 화물차로 동네 곳곳을 누비며 계란을 판매한다. 신호위반으로 단속되지만 슬쩍 건네준 현금 5천 원으로 아무렇지도 않게 해결된다. 당시는 그런 시대였다.

지역 조폭 조직의 똘마니로 뉴스나이트클럽에서 잔심부름을 하면서 생활하던 막둥이는 우두머리 배태곤(문성근)의 애인인 나이트 밤무대 가수 미애(심혜진)을 사랑하게 된다.

"야 너 뭐 잘 하냐?, 할 줄 아는게 뭐야? 젊은 놈이 꿈을 가져?"

고대 로마 시대에도

"요즘 젊은이들이 버릇이 없다."

라고 꼰대 짓을 한다고 하니, 수백 년이 흘러도 기성세대가 문제인지 젊은 세대가 문제인지 알 수 없다.

<초록 물고기>는 송강호가 실제 양아치처럼 연기를 해서 이창동 감독이 동네 양아치를 섭외했다고 놀랐다고 한다. 송강호의 놀라운 연기는 이때부터 시작되었나 보다. 순수한 열혈 청년 막동이에게 조폭 두목 배태곤은 청부살인을 시킨다. 막동이의 운명은 어떻게 될까? 결국 막동이는...

그가 없는 그곳에는 여전히 푸른 잎이 한가득한 버드나무가 늘어져 있다. 색이 바랜 홍콩영화를 보는 느낌이다. 한석규는 장국영인가 양조위인가 유덕화인가 어쩌면 1990년대는 한국 영화가 홍콩 영화의 영향을 받았는지도 모른다.

1990년도는 한석규의 전성시대였다. 그는 TV 드라마에서 얻은 인기로 스크린으로 본격적인 진출을 한 해이다. 지금도 SBS드라마 <낭만닥터>에서 병원의 수익보다 의사로서 직업의식을 높게 사는 순수함으로 시청자들에게 많은 공감을 주고 있다. 영화 <초록물고기>에서 보인 한석규의 공중전화씬은 결코 잊을 수 없는 명장면이다. 많은 신인배우 지망생들이 오디션에서 연기하는 장면이다.

이창동 감독은 다른 감독과는 결이 다르다. 그가 연출한 영화는 아무렇지 않게 생각 없이 봐서는 안될 것처럼 호불호가 갈리는 메시지를 준다. 평론가들이 좋아하는 감독 아닌가?

출연하는 영화마다 흥행을 하는 배우 '한석규'는
한국 최초 블록버스터 <쉬리>에서 다시 한번 송강
호, 최민식과 호흡을 맞춘다.

"너 소속 부대가 어디야"
"조선민주주의 인민공화국이다."

-쉬리 中

#초록물고기 #한석규 #심혜진 #문성근 #1997년
이창동 감독

94. 쉬리

"조직 내부에 첩자가 있어."

영화<쉬리>는 1999년에 개봉한 한국 최초 블록버스트 액션 영화다. 한국 영화는 <쉬리> 이전과 이후로 나뉜다.

유종원(한석규), 박무영(최민식), 이장길(송강호), 이명현(김윤진)이 국가 비밀 기관 op.요원, 북한 특전사 대원, 남파간첩으로 역으로 나와 방대한 물량 공세와 거대한 스케일 영화를 보여주었다.

물론 1999년 당시 기준이다. 20년 전 영화 <쉬리>가 보여준 한국형 블록버스터는 어떨까?
서울 시내 도심 총격씬과 건물 폭파씬에서 CG가 어색하기도 하고, 북한 공작원이 그렇게 쉽게 통제된 군사분계선을 무사통과하고 누가 봐도 의심스런 남파 간첩을 알아보지도 못한 채 결국 마지막 장면에 이르러서야 서로 총구를 겨눈 다는 결말까지 스토리가 단순하기 그지없다.

영화 <데시벨>(2022)을 보면서 축구경기장에 설치된 폭탄을 보면서 과거 <쉬리>가 떠올랐다. 반복되어지는 설정이다. 하기야 북한특전대원 박무영(최민식)이 가면을 쓰고 벗으면서 변신하는 장면은 <미션 임파서블>(1996)에서 '톰 크루즈'가 즐겨 상대를 속이는 장면이기도 하다.

<쉬리>라는 제목은 일급수에서만 사는 민물고기의 이름이다. 한동안 여름철 계곡에만 가면 <쉬리>를 찾으려고 물속을 쳐다보곤 하거나 '송사리'를 찾고선 <쉬리>라고 우기기도 했다. 사실 지금도 그러기도 하는 건 영화 <쉬리> 부작용인가?
남북한인들이 서로 만나 대결을 하든 화합을 하든 지금은 흔한 소재이지만 90년대 당시로선 충격적이고 파격적인 스토리이자 상상 불가한 영역이었

다. <공조> <강철비> <공작> <VIP> 등등이 그렇다. 영화 <쉬리>에선 수족관 내 '키링수라미'는 한마리가 죽으면, 따라 죽는다는 민물고기로 나오는데 실제 그런지는 의문이다.

수십 년이 지난 지금도 한석규는 드라마 <낭만닥터3>(2023)에서 그 존재감을 잃지 않고 있다. 물론 최민식도 <카지노>(2023)라는 디즈니 TV에서 어마무시한 캐릭터로 빛나고 있다. 송강호는 이미 국민배우가 된 지 오래전 일이다. 이 세 배우의 오래전 리즈시절 모습을 보는 것만도 솔솔한 재미가 넘친다. 남북한이 대치한 우리나라의 특수한 상황에서 총격전만 빼고는 있을법한 설정이다.
몇 년 전에 간첩에 의해 목에 독침 맞고 암살당한 연구원은 실제 일어나는 대한민국 현실이다. 우린 이런 나라에서 살고 있다. 북한 김정일 장남 '김정남'은 말레이지아 공항에서 북한 공작원에 의해 독살당했다. 아직도 가능한 일들이다.

강제규 감독은 <은행나무 침대>(1996)로 존재감을 드러냈으면, <쉬리>로 절정의 연출을 했다. 이후 전쟁영화의 한 획을 그은 <태극기가 휘말리며>(2004)로 두 형제의 안타까운 전쟁의 소용돌이에서 불행하고 비극적인 삶을 그렸고, <마이웨

이>(2011)로 일제시대의 비극을 표현했다.

한석규는 당시 대세 영화배우가 되어 <접속>이란 영화에서 전도연과 온라인 연애를 아름답게 그리는 연인 사이로 출연했다.

"사랑하는 사람은 꼭 만나게 되어 있어요."

-접속 中

#쉬리 #한석규 #최민식 #송강호 #1999년 강제규 감독

95. 접속

"뚜 뚜 뚜 띠릭릭 띡 삐."

드라마<응답하라 1997>에 나온 하이텔, 천리안 PC 통신 시대를 아시는가? 지금은 상상할 수 없지만, 당시 1999년 12월 30일에 세기말 즉 '지구멸망'과 더불어 아날로그에서 디지털로 전환되는 놀라운 시대였다.

영화 <접속>에서 동현(한석규)과 수현(전도연)은 서로 PC 통신 대화방이라는 매개체로 서로 채팅을 통해 충실한 조언과 상담을 해주면서 호감이 생긴다. 당시 인터넷 채팅을 통해 대화를 주고 받다가 실제로 호감이 생겨 현실에서 약속 장소를 정하고 만나기도 했다. 다만 프로필사진이 없던 시절이라는 단점이 있다. 만날 시간과 장소를 정한 후에 실제 먼발치에서 상대방 외모를 관찰하다가 마음에 들지 않은 경우는 그냥 돌아가곤 했다. 최근 중고 당근거래를 하면서 그때를 회상하게 된다.

"혹시 당근님 맞으세요?"

하여튼 인터넷의 발달과 더불어 가상공간 채팅으로 인연을 만들어 가는 과정을 그린 영화가 <접속>이다. 항상 처음 경험하는 신기함의 강렬한 기억은 오래간다. <접속>은 당시 시대를 반영한 영화이며 실제 PC 통신을 매개체로 결혼도 하고 연인이 된 사연들이 방송매체에 소개도 되었다. 지금도 PC 통신만 아니고 시대가 다를 뿐 스마트폰 채팅 어플로 많은 사람들이 데이트와 즉석 만남을 즐겨한다. 그 당시와 현재의 가장 큰 차이점은 프로필사진 여부다. 아마도 당시에는 트래픽 용량이 작아서 사진 같이 고용량 파일은 업로드가 불가능했을 것이다. 오직 텍스트만 가능했던 시기다. 아날로그 감성은 또 그대로의 매력이 있다. 디지털 카메라 시대지만 필름 카메라의 매력을 더 좋아하는 감성 같은 것처럼 말이다.

지금보다 더 먼 미래의 사이버 공간은 어떤 모습일까? 현재도 식당에서 자동 운행 AI가 음식을 식탁까지 운반해 준다. 도로 위에서는 자동차가 자율주행을 하기 시작했고 스마트폰도 쳇 GPT를 통해 스스로 생각하기 시작했다. 사랑도 곧 AI가 지정해주는 상대로 만나야 하는 것이 아닐까? 외국어 공부를 할 필요가 없어지는 세상이 다가오고 있다. 영화 <그녀 Her>(2013)에서 '테오도르'는 컴퓨터 그녀에게 사랑을 배우고 감정을 느끼기도 한다. 멀지 않은 시대다.

또한 아날로그적인 감성으로는 MBTI가 있다. 여기에 맹신하고 추종하는 사람들에게 뭐라고 할 것도 없이 과거에는 혈액형에 열광했던 것과 같은 이치다. 사랑도 시대와 랜선에 따라 변하는 것 같다. 영화 <접속>은 OST <사랑의 협주곡> '사라 본'이 더 기억에 남는 영화다.

장윤현 감독은 독립영화계의 신화 <파업전야>(1990)를 찍은 감독이고. 이 영화로 충무로에 성공적으로 데뷔하게 된다. 이후에 <텔미썸띵>(1999), <황진이>(2015), <가비>(2012), <와일

드 카드>(2015)를 연출했다.

혜성과 같이 나타난 신인배우 <전도연>은 대한민국 영화계를 접수했다. 이후 영화 <밀양>을 통해 미친 연기에 이르게 되고 마침내 전 세계를 집어삼킨 칸영화제의 여왕이 된다.

"신애씨 왜 이럽니까? 정신 차리이소."

-밀양 中

#접속 #전도연 #한석규 #1997년 장윤현 감독

96. 밀양

"내가 용서하기도 전에 하느님이 다 용서하셨는데,
 어떻게 그럴 수 있지."

이창동 감독 영화들은 평범한 일상 속에서 날카로
운 사회 비판 시각을 가지고 있다.
영화 <밀양>, <시>(2010)를 보면, 마냥 즐길 수
만은 없는 영화다. 너무 무거운 주제를 가지고 있
는 영화는 두고두고 생각할 거리를 준다. 다만 영

화적인 재미가 없다 보니, 관객보다 평론가들이
좋아할 영화들이다. 마치 홍상수 감독 영화처럼.
경남 밀양이라는 지명은 아버지 고향이기도 하다.
'밀양'의 영어 단어가 'secret sunshine(시크릿
선샤인)'이라는 것도 처음 알았다. 따뜻한 햇볕.
따로 수식어가 필요할까 싶은 이창동 감독을 예전
부터 <박하사탕>(1999), <오아시스>(2002)를 통해
서 난 이미 그의 팬이었다.

"나 돌아갈래"

철길의 한 가운데에서 마주 오는 기차를 향해 김
영호(설경구)가 두 팔 벌려 절규하듯이 외친 그
한마디는 내가 소주 3병 이상 마시면, 자주 주사
로 내뱉는 친숙한 단어가 되었다. 난 진심으로 외
쳤다. 주사인 줄 알지만. 영화 <박하사탕>으로 데
뷔한 '문소리'는 이 영화에서

"영호씨 꿈이 좋은 꿈이었으면, 좋겠어요"

라는 두고두고 내 맘속에 기억되는 대사와 함께
순수한 모습을 보여주었다. 또한 영화 <오아시스>
에서 장애우를 역을 맡아 처음 본 순간 진짜 뇌성
마비인 줄 착각하게 만들 지경의 연기를 보여주었

다. 너무 연기 잘하는 배우가 아닌가. 그녀는 <여배우는 오늘도>(2017)로 감독 데뷔도 했다. 그녀는 이제 엄마가 되었고, 아내였고, 배우였다.

영화<밀양>에서 신애(전도연)은 남편 죽음 이후 남편의 고향인 '밀양'으로 이사를 한다. 그날 그녀에게 첫눈에 반한 종찬(송강호)은 계속 그녀의 곁에서 뱅뱅 맴돌게 된다. 마치 키다리 아저씨처럼 도와주려고 하나, 단지 신애의 마음이 문제다.

영화<밀양>도 제목이 주는 느낌에 비해서 아주 무거운 주제 의식을 던진다. 사실 이 영화는 종교영화인지 로맨스 영화인지 헷갈리기도 한다. 굳이 로맨스 영화라 하면, 종찬이 끝없이 신애에게 구애하는 모습을 보면서 과연 둘의 사랑이 이루어지기나 할까 하는 궁금증과 안타까움이 영화를 보는 내내 존재하기 때문이다.

"왜 교회 나오세요? 정말 믿음이 있다고
 하늘에 맹세할 수 있어요?"

교회 입구에서 주차 안내하는 모습을 본 신애는 종찬을 강하게 몰아붙이지만 아무 말도 못하는 '종찬.

지금까지 납치사건을 다룬 영화는 그 아이를 찾기 위한 고군분투(孤軍奮鬪)하는 모습을 다루었다. 가

령 <극비수사>(2015), <그놈 목소리>(2007)와
같이 어린이 유괴사건을 다룬 영화들은 대부분 아
이는 죽게 되고, 범인은 경찰에 붙잡히면서 영화
가 마무리되는데, <밀양>은 '납치사건' 이후부터가
영화의 시작이라고 보면 된다. 결국 사랑하는 자
식이 죽은 이후의 '신애의 감정'을 다룬 영화라고
해야 하나.

평소 신(神)을 믿지 않던 신애는 무신론자였다. 자
격증 시험 때만 예수님, 부처님, 하느님을 찾는
나와 같다. 무신론자로서 자꾸 자기 확신을 갖게
된 계기는 '리처드 도킨스' 박사의 '만들어진 신'
이란 책도 나에겐 한몫을 했다. 기독교를 모함하
는 영화가 절대 아니라, 다시 한번 생각 해보는
영화다.

결국 준이(아들)의 죽음이 확인된 이후 신애는 어
떤 끌림에 교회에 나가기 시작하고 주위의 위로에
큰 도움은 되지 않지만, 스스로 하느님, 종교의
도움으로 치유 할려고 노력한다. 마침내 그녀는
자식을 죽인 납치 살인 범죄자마저 용서하기로 하
고, 직접 교도소로 면회를 간다. 힘든 결정일 것
이고 주위 사람들도 깜짝 놀란 반응을 보인다. 내
자식을 죽인 범죄자를 용서한다는 것은 거의 불가
능한 일일 것이다. 영화 <해바라기>에서 김혜숙이
김래원을 용서한 것은 자기 자식이 워낙 양아치

짓을 했기 때문이다.

드디어 진심으로 신을 믿기 시작한 걸까? 가족을 죽인 살인자를 용서한다는 것이 물론 현실에서는 합의금이라도 받고 범죄자 가족들의 간절한 용서 구함과 피의자가 감형받기 위해 합의서를 요구하기도 하며, 상대방을 동정하여 어쩔 수 없이 하는 합의나 용서하는 경우도 있다.

영화 <밀양>에서는 아무런 금전적 보상도 피의자의 진심어린 사과도 없다. 영화를 본 지 수십 년이 흐른 지금도 생생히 잔상을 남긴 장면이 바로 교도소 면회 장면이다. 아직도 절대 잊을 수 없는 장면이다. 교도소 면회 가서 창살을 사이에 두고 본 살인자와 마주한 장면을 기억하시는가? 범죄자를 용서하려고 간 그곳에서 너무 온화한 표정을 지닌 얼굴을 마주 보게 된다. 그리고 그는 말한다.

"저는 이미 하느님에게서 용서를 받았어요."

신애는 피해자인 당사자 내가 아직 용서를 안 했는데 하느님 당신은 누구 맘대로 범인을 용서해주었는가? 분노에 휩싸여 그녀는 결국 기절하고 만다. 이제 하느님조차도 용서할 수 없다.

영화 <밀양>에서 말하고자 하는 것은 무엇일까?

내가 피해당사자이건만, 범죄자가 스스로 구원받았다고 하는 모습을 보면 당신은 어떤 감정이 들겠는가? 아무래도 총 한 자루를 구해야겠다. 내가 직접 사형집행을 해야겠다. 난 그렇다.

이건 마치 중국 소설가 '루쉰'<아Q정전>에서 정신승리를 한 아큐와 같다. 스스로 정신승리하는 놈은 아무도 이길 수가 없다. 스스로 용서 구하고 용서받은 범죄자를 어떻게 해야 하나? 나도 정신승리를 해야 하나? 피해자임에도 더 고통스러운 삶을 살아가야 하는 한국 사회를 바라보는 날선 시각이 있다. 대중적인 영화는 아니지만, 종교란 무엇인가? 왜 나에게 이런 시련을? 남편과 아들을 잃은 나에게 이런 고통을 주는가? 이것이 신의 계시란 말인가?

항상 그녀의 주위에는 종찬이 있다. 여기에는 남자가 보는 시선과 여자가 보는 시선이 물과 기름처럼 분리되어 있다. 종찬과의 로맨스. 그는 배알도 없는 것처럼 보이지만, 억지로 정서적인 공감과 인지적 공감을 하는 종찬의 모습이 애잔하다. 프로파일러 박지선 교수가 한 말 중에 <밀양>의 주인공은 사실 '종찬'이 아닌가 지적하는 말에 깊은 공감을 한다. 과연 그녀와 사랑은 이루어질 것인가?

이창동 감독이 연출한 이 영화는 이창준 소설가의
<벌레 이야기>를 원작으로 한다. <박하사탕>(1999),
<오아시스>(2002), <밀양>(2007), <시>(2010)를
연출했다.

<전도연>은 오래전부터 천의 얼굴을 가진 배우로
각인되었다. 젊은 나이에 연기한 <해피엔드>는 충
격적인 베드씬으로 전도연을 대한민국 여배우로
이름을 알리게 되었다.

"당신 집에서 쉬는 거 이해하는데."

-해피엔드 中

#밀양 #전도연 #송강호 #2007년 이창동 감독

97. 해피엔드

"미연이한테 당신이 좋은 엄마 였으면 좋겠어?"

책 제목이든 영화 제목이든 뭐든 화려한 외모에 속아 내용도 보지 않고 선뜻 주문하고 선택하고선 후회한 적이 여러 번 있다. 아 제발 외모만 보지 말자. 제발.

여기 제목 <해피엔드>만 보면, 결말이 <해피엔딩>으로 착각할 영화를 소개한다. 이 영화는 천의 얼굴 팔색조의 매력과 더불어 과감한 액션을 한껏 뽐낸 넷플릭스 영화 <길복순>의 젊은 시절(27세) 매력이 물씬 풍기는 영화다. 영화 내용보다 '전도연'이란 배우 탄생을 본다는 느낌이 더 강해서 추천해 본다.

보라(전도연)와 민기(최민식)는 갓난아기를 키우는 현실적인 티격태격하는 부부 사이다. IMF로 인해 실직한 남편을 못난 사람인 듯 밀어 버리는 그녀는 어쩌면 이 면에 김일범(주진모)이라는 내연남이 있기 때문일 수도 있다. 바람난 아내 보라는 내연남이 주는 사랑만큼 남편에게 잔소리가 늘어나는 중이다. 아내와 딸밖에 모르는 남편 민기는 아내가 설마 바람피운다는 상상도 못 할 만큼 순수한 사람이다. 내연남 김일범은 시간이 갈수록 보라에게 스토커처럼 강한 집착을 보이고, 그녀도 사랑이라는 이름 앞에 그를 거부하지 못하고 결국 파국으로 치닫는다. 물론 민기는 아내와 관계가 더 나아지기를 바라는 마음이 간절하지만 이제 루비콘강을 건넜다.

최근에 본 이란 영화 <씨민과 나자르의 별거>(2011)란에서도 아내인 '씨민'은 말한다.

"당신이 나를 말려주었으면, 이 지경까지 안 왔을
텐데 말이다."

부부 사이에서 그만큼 육체적인 스킨십과 대화 소
통이 중요하다는 의미일 것이다. 결국 씨민은 아
픈 시어머니를 두고 집을 나가 버리고, 남편은 우
여곡절을 겪게 되는 과정을 거친다.
영화 <해피엔드>는 1999년이 배경이다. 스마트폰
이 없던 시기인 만큼 내연남은 보라에게 직접적으
로 연락할 방법이 없다. 목소리가 듣고 싶어 집
전화로 전화를 하지만 남편이 받게 되면 끊어버린
다. 이제 이 부부의 결말은 누가 봐도 위험한 시
기로 빠져들게 된다.
결국 민기는 둘의 관계를 목격하게 되고 그녀를
사랑했기에 참을 수 없는 분노를 향한 폭주를 하
게 된다. 절대 <해피엔드>가 아닌 결말이다. '최민
식'과 '전도연'이란 두 배우가 풍기는 매력은 영화
를 다 보고 난 뒤에 긴 잔상을 남긴다.

영화 <밀양>(2007)에서 남편과 아이를 잃은 전도
연의 연기에 칸영화제가 여우주연상을 주었다면,
<해피엔드>를 보면 그녀의 팜므파탈 연기가 이미
10년전부터 시작되었음을 볼 수 있다.

정지우 감독은 <모던 보이>(2008), <은교>(2012), <4등>(2016), <침묵>(2017)을 연출했다

이왕에 배우 '전도연'의 매력에 빠지기 시작한 김에 순수한 시골 소녀 감성을 연기한 <내 마음의 풍금>을 보자. 너무 순박하고 순진한 맑은 영혼에 보는 이도 같이 정화되는 느낌이다. 각박한 미세먼지 세상에서 아름다운 영화 한 편을 보자.

"야~~~~아~~~~야~~~~~"

-내 마음의 풍금 中(홍연)

#해피엔드 #최민식 #전도연 #주진모 #1999년 정지우 감독

98. 내 마음의 풍금

"이 놈의 모기가"

-수하

이병헌(수하)과 전도연(홍연)의 설레는 첫사랑 이야기다. 1970년대 농촌을 배경으로 한 클래식 멜로 로맨스 영화 중 숨은 명작인 이 영화는 지금 2023년 도시와 농촌에서 다시 보지 못할 풍경들을 보여준다. 1970년대 농촌 간이역에 정차했던 지금은 사라진 기차 '비둘기호' 열차다. 내부 좌석 모습은 사라진 기억이다. 시골 부엌 아궁이에 장작으로 불을 지펴 큰 솥단지에 온 가족 밥을 짓는 모습을 보는 것만으로 흰밥 냄새가 물씬 난다. 비포장 먼지 가득한 흙길을 한참 걸어가야 하는 동네 마을 입구는 너무 정겹다.

초등학교 교사가 되어 처음 부임한 시골 한적한 학교에서 선생님과 제자의 사랑 이야기는 이미 내용을 알 것 같다. '순진''순수''순정''순박'이라는 모든 단어로도 표현 안 되는 장면들이 넘쳐난다. <내 마음의 풍금>이란 영화는 풍경도 아름답지만 사람들도 너무 예쁘다. 여기 등장하는 모든 사람들이 순박한 사람들이다.

시골 초등학교에서 사내 연애를 시작하는 총각 처녀 선생님 만남은 시냇물이 흘러가는 졸졸졸 맑은 소리와 함께 장면 장면 풍경들이 한 폭의 수채화처럼 펼쳐진다. 영화 한 장면 한 장면 모두 흰 도화지에 그려진 수채화 그림처럼 아름답다. 배경 도시는 강원도 깊은 산골 어느 마을 같은 곳이다. 굳이 시골 처녀가 아니더라도 우린 학창시절 교생 실습 선생님들에게 설레는 감정을 느낀 적이 한두 번 있다. 하물며 순박한 시골 사춘기 소녀에게는 도시에서 온 총각 선생님을 보는 마음은 더 할 것이다.

수하(이병헌)는 같은 학교 동료 교사인 은희를 짝
사랑하기에 제자 홍연(전도연)의 사랑을 몰라주고
서로 엇갈리기만 한다. 어느 날 수하는 첫사랑 은
희와 안타까운 이별을 하고 만다. 유일한 취미 생
활인 LP 전축의 슬픈 멜로디에 취하지만,

제자 홍연에게는 은희와의 이별이 오히려 기회이
기에 기뻐하고 일기장에 솔직한 마음을 표현한다.
수하는 멍하니 창밖을 바라보다가 홍연의 일기장
을 읽고선 신경질이 나기도 한다.

실제 1980년대 국민학교 이제는 초등학교이지만,
내가 국민학교를 다닐 적에도 일기장 검사했다.
매일 검사도 했었고, 방학 때는 방학 일기를 적었
다. 밀린 방학 일기에서 가장 힘든 점은 한 달 전
날씨인 것은 그때 그 당시의 추억이다.

이 두 사람의 관계는 과연 어떻게 될 것인가? 첫
사랑 이란 소재는 우리를 늘 가슴 저리게 한다.
나에게 첫사랑은 누구인가? 당신에게 첫사랑은 누
구인가? 첫사랑에게 처음으로 건넨 선물은 무엇인
가?

한국 영화에서 이병헌과 전도연은 연기로는 논할
수 없는 배우들이다. 실제 그들의 20대 시절과 첫
사랑의 수줍은 모습을 보는 재미가 있다. 마치 나
의 이십 대 첫사랑이 생각난다. 당신이 첫사랑을
했다면, 완전 공감 가는 장면들이 넘친다.

두 배우는 많은 영화를 함께 출연했는데, <협녀, 칼의 기억>(2015), <비상선언>(2022), <백두산>(2019)에서 볼 수 있다. 특히 <협녀>는 한국에서는 보기 드문 무협 영화로 중국 정통 무술과 더불어 화려한 미장센의 볼거리도 제공한다.

이영재 감독이 연출했다.

<내 마음의 풍금>이 순박한 두 남녀의 사랑 이야기라면 도시의 닮고 닮은 청춘 남녀의 발랑 까진 사랑 이야기 <연애, 그 참을 수 없는 가벼움>이란 영화도 있다. 마치 두 영화는 전체 관람가 영화와 청불 영화처럼 비교된다.

"도대체 너한테 난 뭐니?"

-연애, 그 참을 수 없는 가벼움 中

#내 마음의 풍금 #이병헌 #전도연 #이미연#1999년 이영재 감독

99. 연애, 그 참을 수 없는 가벼움

"결혼한다고 나 버리지 마. 확 죽어 버릴 거야."

동네 한량 찌질한 양아치 백수 영운(김승우)과 술집 접대부 연아(장진영)의 막장 리얼 저급한 러브 스토리지만 우린 그들을 외면할 수 없다. 지금까지 이런 연애 러브스토리를 가진 영화는 없었다.

'사랑은 늘 아름다워야 하니까 말이다.'

<로미오와 줄리엣> 같은 아름다운 사랑 이야기가
현실에서 동떨어져 있다면 <연애...>는 나의 이야
기고 너의 이야기 같다. 적나라한 대사와 몸짓은
우리들의 감성과 동물적인 본성을 일깨운다.
주점 접대부지만 사랑하는 사람에게는 사랑받고픈
연아는 비록 영운이가 양아치 짓을 해도 그저 그
가 좋을 뿐이다. 그와 결혼하고 싶다. 그를 생각
하면서 정성껏 고른 셔츠를 촌스럽다면서 거절하
는 영운을 향해 찢어버린다고 더 큰소리치는 성질
있는 '연아'지만 그 모습마저 사랑스럽다.

"시발놈이."

싸우고 화해하고 다시 술 먹고 밥 먹고 자고 다들
그러지 않나. 영운이도 입던 셔츠를 빨아두라면서
갈아입고선 새 셔츠를 입고 간다. <부부 싸움이
칼로 물 베기>란 속담은 이 영화에선 <연인 사이
도 칼로 물 베기>다.

"어디 우리 아들을 넘 바"

용식이 엄니는 그렇게 큰소리쳤다. 드라마 <동백꽃 필 무렵>(2019)이야기다. 미혼모 '동백이'도 <카멜리아>라는 식당을 운영하는데, 술집 여자라는 비아냥 손가락질을 받은 형편으로 결혼은 반대에 부딪힌다.

이 영화에서 주점 접대부인 '연아'에게는 더 한 고난이 기다리고 있다. 영운이는 결혼할 처녀 약혼녀 '수경'이가 있기에 '연아'를 재미로 만나는 듯 가볍게 생각한다. 하지만 연아는 그렇지 않다. 영운과 연아는 속궁합이 너무 잘 맞는 친구 같은 애인 사이라고 해야 하나? 너는 나를 잠자리 상대로 이용하기만 하는 건가? 오래된 연인 사이에서는 거리낌도 없고 서로 상대를 너무 잘 알기에 적나라한 현실 연애 일상을 보여준다. '영운'과 '연아'의 사랑은 과연 어떻게 결말로 향하게 될까?

영화 <너의 결혼식>(2008)에서 김영광과 박보영이 현대 청춘 연인 사이의 모습을 보여주고 <가장 보통의 연애>(2019)에선 김래원과 공효진이 티격태격 현실 직장 연인의 모습일 것이고 <연애 빠진 로맨스>(2021)에서 손석구와 전종서가 청춘 남녀의 가벼운 사랑 이야기를 연기한다. 대부분 청춘 남녀의 연애 스토리 영화가 설레는 감정과 풋풋한 사랑 이야기로 포장되지만, <연애..>에서는 농익은 진짜 사랑꾼들의 현실 너무 현실적인 사랑 이야기다. 이웃집 노총각 노처녀의 연애를 엿보는 느낌이다.

특히 이 영화는 故 장진영 배우의 가장 현실적인 모습이고 아름다운 외모를 보는 것 같다. 고인을 추모하면서 이 영화를 추천한다.

감독 김해곤은 배우로 더 유명하지 않나. 그가 연출한 영화 중 <파이란>의 감동은 최고였다.

"사랑도 그렇지만, 인생도 마음대로 되지 않는다."

호텔 실장 이병헌이 꿈꾸었던 <달콤한 인생>을 보자. 인생은 내 마음대로 되지 않는다.

"저한테 도대체 왜 그러셨어요?"

-달콤한 인생 中

#연애, 그 참을 수 없는 가벼움. # 故 장진영 #김승우 #2006년 김해곤 감독

100. 달콤한 인생

"넌 나에게 모욕감을 줬어."

저 한테 왜 그랬어요.....

연기로는 그를 절대 비난할 수 없다. 연기로는 그보다 뛰어난 배우도 찾을 수 없다. 이보다 더 과분한 찬사를 할 수가 있을까? '이병헌'이란 배우는 참 독보적인 대한민국 보물이다.

영화 <달콤한 인생>에서 그는 멋진 검정 슈트빨이 한껏 오른 호텔 실장으로 등장한다. 리즈 시절이었던 그 당시 배우 '이병헌' 지금보다 풋풋하고 앳된 모습을 엿볼 수 있다.

영화 <그것만이 내 세상>(2018)에서 더벅머리로 동네 슈퍼에서 볼 듯한 츄리닝 '이병헌'과 같은 인물이다. 그때 그 시절 젊은 그를 보면서 흐른 세월을 같이 공유하고픈 나는 '이병헌 광팬'이다.

<달콤한 인생>에서 조직 2인자 선우(이병헌)은 보스 사장(김영철)이 출장가면서 수줍게 부탁한 사흘간 그의 애인을 감시하라는 임무를 받는다. 강사장 애인 희주역은 '신민아'의 신인 시절 모습이다. 몇 년 전 이병헌과 신민아가 커플로 출연하는 TV 드라마를 다시 보게 될 줄은 상상도 못 했는데, 20여 년이란 세월이 흐른 뒤인 드라마 <우리들의 블루스>(2022년)에서 이 둘은 이루어지지 못한 연인으로 출연하여 시청자들을 안타깝게 했다. <달콤한 인생> 팬으로서 둘의 만남 자체가 반갑고 다시 재회한 연인처럼 아름답게 보인다. 전생에 못다한 사랑을 이번 생애는 꼭 이루길 바라기도 하면서 정주행한 드라마기도 하다.

클래식 연주회에 참석한 선우는 희주에게 반했는지 음악에 반했는지 그녀에게 빠져들고 만다. 관객들도 희주에게 모두 빠져들었다. 우리는 강사장이 출장 간 사흘 동안 선우와 희주 사이에 분명 무슨 일이 일어날 것이란 짐작을 하게 된다. 희주

의 또래 대학생 남자 친구를 본 선우는 강사장에게 따로 보고 없이 알아서 처리해 버린다. 결국 강사장은 독자 행동한 것에 선우를 의심하게 되고 결국 그동안 충성을 다한 선우를 제거하라는 지시를 한다. 비정한 조폭 세계 모습이지만, 어차피 그들에게 의리가 있을 리가 만무하다. 영화 초반 일식집에서 마주 앉아 식사를 하면서 선우에게 강사장은 이미 경고했었다.

"한순간 실수로 인생이 나락으로 갈 수 있다."

보스에게 모든 충성을 바쳤으나 결국 버림받게 된 선우는 이제 스스로 해결해야 한다. 이 영화는 느와르 영화 중 레전드 반열에 들 정도로 긴 세월이 지났지만 아직도 긴장감이 팽팽한 명작이다. 실장 슈트빨이 멋진 이병헌을 보는 재미가 솔솔하고, 조직 보스 강사장 김영철의 묵직한 대사가 멋지고, 양아치 두목역으로 나온 황정민도 존재감이 남다르다.

"왜 나에게 이러셨어요? 왜"

선우는 묻고 또 물었다. 조직에 충성을 다 했을뿐인데 왜 나에게 이러는 것이냐? <달콤한 인생>을 꿈꾸었던 선우의 삶은 결국 비극적인 인생으로 끝나고 말았다.

가수는 본인 삶이 노래 제목을 따라간다고 흔히들 말하지 않는가? 나는 이 영화의 제목만 따라 삶을 살고 싶다. 영화 내용과는 달리 정말 <달콤한 인생>만을 꿈꾸고 싶다. 어차피 인생은 계획대로 되지 않는 법이다. '워라밸'이란 소소한 현실에 만족을 하고 하루하루 행복하게 살아도 <달콤한 인생>이다. 어쩌면 이 영화는 '행복이란 행복을 버리면, 행복이 온다.'는 교훈을 준다고 느꼈다. 선우가 음악 연주회를 보고서도 희주와 행복을 꿈꾸지 않았다면, 그의 <달콤한 인생>은 계속 되었을 것이다.

배우 이병헌과 감독 김지운이 만나 새로운 느와르의 지평을 연 <달콤한 인생>을 여태껏 안 보고 살았단 말이야. 얼릉 보시길. 만약 아직도 안 보고, 두 다리 뻗고 편하게 주무시고 계시다면

"넌 한국 영화계에 모욕을 줬어."

-작가 말

#달콤한 인생 #이병헌 #김영철 #신민아 #2005년 김지운 감독

후기.

주말 라떼 한잔과 더불어 조조영화를 수십 년 동안 봐 왔던 본인은 그냥 재밌는 영화를 좋아하는 평범한 직장인이다.

네이버 블로그에 영화 평론가처럼 한 줄 평을 남기다가 뭔가 남기고 싶다는 느낌을 받았다. 그래서 여러분이 한국 영화를 좋아한다면 이 정도 한국 영화 정도는 봐주어야 할 것 같다는 주관으로 선택 기준으로 책을 만들었다.

책은 한 줄 평이 아닌 '1,000자' 정도로 요약하려고 노력했다. 물론 상식이 부족하기에 유투브와 각종 영화 프로그램 등으로 주워들은 여러분도 다 아는 정보를 긁어모은 것뿐이다. 절대 아는 척을 하는 것도 아니고, 어떤 정보가 틀리고 잘못된 것일 수도 있음이다.

소장용으로 지인들과 함께 할 책이니, 혹시나 읽다가 실망스러워도 너무 욕하지 마시길 바랍니다.

이 책에서 절대적으로 없어서는 안 될 완성도를 위해 삽화를 그려주신 정관에 거주하시는 닉네임 '백곰'님과 성질 참으면서 오타 수정에 큰 도움을 주신 연산동에 사시는 '주 박사'님께 큰 감사와 고마움을 전달합니다.

-끝-

도서명 **기억에 남는 한국 영화 50선(2).**

발　행 | 2024년 07월 9일
저　자 | 정재욱
펴낸이 | 한건희
펴낸곳 | 주식회사 부크크
출판사등록 | 2014.07.15.(제2014-16호)
주　　소 | 서울특별시 금천구 가산디지털1로 119
SK트윈타워 A동 305호
전　화 | 1670-8316
이메일 | info@bookk.co.kr
저자 이메일 | ithing21@hanmail.net

ISBN | 979-11-410-9407-2

www.bookk.co.kr